핀테크 산업분석보고서

BT TIMES

Contents

머리말

4차 산업혁명, 사물인터넷 등 거창한 말들이 등장하면서 함께 빠질 수 없는 말이 핀테크(Fin Tech)다. 핀테크는 금융과 정보통신기술의 결합을 통한 새로운 상품이나 서비스를 말하는 것인데, 이는 오래전부터 우리 생활에 있었던 것인데 왜 요즘 다시 화두가 되는 것일까? 또한, 앞으로의 핀테크는 어떤 방향으로 진행될 것인지에 대한 고민으로 이 보고서는 시작되었다.

사실 요즘 젊은이들 사이에 은행에 가는 일은 매우 낯설고 드문 일이 돼버렸다. 첫 거래 시에 통장 개설을 위한 방문을 빼고는 대부분이 모바일 뱅킹이나 인터넷 뱅킹을 이용하고 있으며, 요즘에는 카카오페이 등을 이용하기도 한다. 궁극적으로 은행에 가지 않아도 모든 업무를 손안의 스마트폰에서 할 수 있게 된 것이다. 이 때문에 핀테크는 기존 금융산업의 위협을 넘어 '몰락'까지도 예상하는 전문가들도 있다.

핀테크 전쟁이 시작된 이후에 네이버페이, 카카오페이, 페이코 등의 이용 비중은 이미 34% 넘어 금융사 이용 비중인 29%를 뛰어넘었다는 조사도 나온다. 핀테크의 핵심은 IT이고 이러한 00 페이는 모두 금융이 아닌 IT가 중심이다. 각각의 서비스 안에 어떤 금융사의 서비스를 연동하든 상관이 없는 것이다.

핀테크의 영역의 한계는 어디까지일 것인가? 핀테크가 서비스하는 영역은 돈을 보관해주고 빌려주고, 결제, 송금, 자산관리, 크라우드 펀딩 등 은행이 할 수 있는 대부분의 업무가 해당된다고 볼 수 있다.

따라서 이 보고서에서는 가장 화두가 되고 있는 인터넷 전문은행에 대한 부분을 자세히 조사하고자 하였다.

아직 핀테크에 대한 자료라든지 특히 인터넷 전문은행의 경우 초기 단계이기 때문에 충분한 자료를 얻기가 쉽지 않았으나 국내외 현존하는 자료를 토대로 보고서를 작성하고자 하였다.

Special Report

Ⅰ. 개요

1. 개요

가. 핀테크란 무엇인가?[1)]

금융(Finance) + 기술(Technology)

'핀테크(Fintech)'는 '금융(Finance)'과 '기술(Technology)'의 합성어로, 구체적으로는 정보기술을 이용하여 금융거래의 구조, 제공방식, 기법 등에 있어서 새로운 형태의 금융서비스를 의미한다.

이때, 핀테크에서 기술이란 정보기술(IT)로, 다양한 신기술은 온라인 개인자산 관리, 크라우드 펀딩 등과 같은 핀테크 서비스를 창출하고 있으며, 스마트폰 산업의 발전에 따른 모바일 결제, 모바일 송금 등 다양한 분야도 활성화 되고 있다.

핀테크는 서비스의 성격과 유형 등에 따라 Traditional 핀테크와 Emergent 핀테크로 구분된다.

- Tranditional Fintech : 금융회사의 업무를 지원하는 IT서비스, 정보기술 솔루션, 금융소프트웨어 등을 의미한다.

- Emergent Fintech : 크라우드 펀딩, 인터넷전문은행, 송금서비스 등 기존 서비스를 대체하는 새로운 금융서비스이다.

핀테크를 큰 개념으로 보면 1980년대 은행들의 금융전산화를 시작으로 PC통신 뱅킹, 인터넷뱅킹, 스마트폰 뱅킹 등이 모두 포함된다고 볼 수 있다. 실제 이러한 변화가 있을 때 마다 금융소비자들의 편의성이 높아져왔다.

그런데 최근 유독 핀테크란 단어가 자주 일컬어지고 있다. 이는 이전의 금융 IT 서비스는 금융 회사 특히 은행을 중심으로 오프라인 지점의 중요성이 계속 강조되어 왔던 반면, 최근 핀테크로 일컬어지는 글로벌 금융환경은 스마트폰을 매개로 하여 플랫폼 업체와 인터넷 기업들이 직접 금융 업무를 할 수 있는 상황으로 점차 변화하고 있기 때문이다. 이러한 환경변화는 금융 산업의 변화를 촉진하는 시발점이 되고 있다.

---

1) 핀테크, 변화의 서막인가? 찻잔 속의 태풍인가?, 교보증권, 2015.02.04.

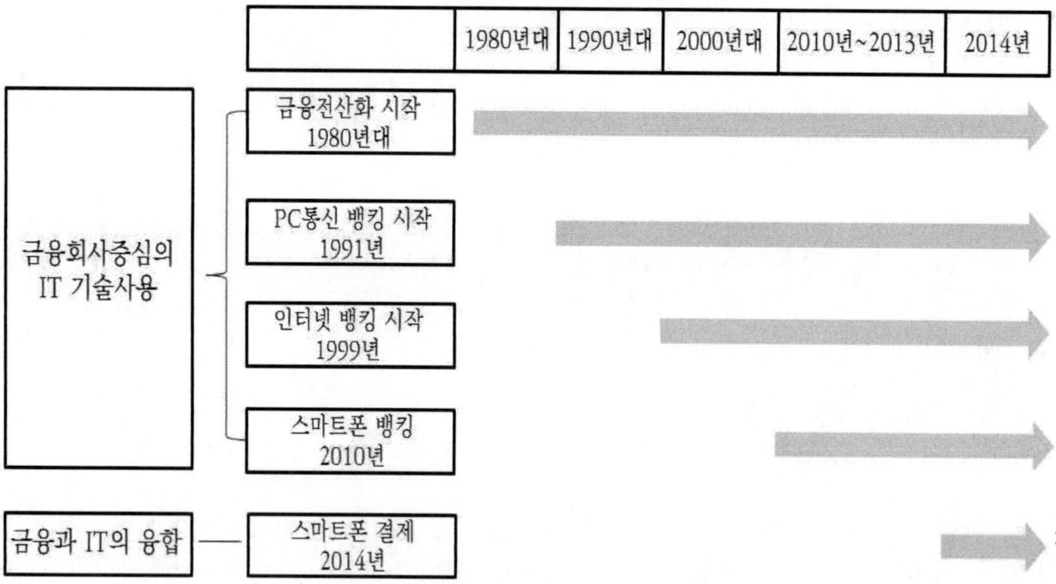

2)

[그림 1] 과거 한국금융거래방식의 변화 추이

핀테크의 활성화로 금융회사는 온라인 은행/증권 서비스, 모바일 은행/증권 서비스 등 IT기반의 서비스가 확대될 수 있게 되었고, IT기업의 경우 독자적으로 또는 금융기관과의 제휴를 통해 전자결제, 송금, 자산관리 등의 금융서비스를 확대할 수 있게 되었다. 이를 채널별로 볼 때 금융회사들은 기존의 오프라인 채널에서 온라인채널을 통해 모바일채널로 관심을 높이고 있고, 기존에 온라인채널에서 금융서비스 뿌리를 내렸던 비금융 회사들은 모바일채널과 오프라인채널로 동시에 역량을 집중하고 있다.

	오프라인채널	온라인채널	모바일채널	비고
금융회사				• 오프라인에서 온라인을 통해 모바일로 진화
비금융 회사				• 새로운 시장 진출자들 : 결재, 여수신, 송금 등 • 기존의 온라인에서 오프라인과 모바일로 동시에 확대

[표 1] 핀테크 활성화에 따른 금융권 판도 변화

3)

2) 교보증권
3) KT, 교보증권

전통적인 금융기관들은 오프라인 점포를 통한 고객 상담 및 강력한 보안시스템, 제도권 기관들과의 데이터베이스 연계에 기반 한 신용평가 등을 통해 금융서비스에 필수적인 접근성, 보안 및 신뢰성을 확보해 왔다. 반면 핀테크 기업들은 기본적으로 혁신적인 아이디어와 첨단기술을 결합해 기존의 금융거래 방식과는 차별화된 새로운 형태의 금융 비즈니스모델을 표방하고 있다.

핀테크의 강점은 스마트폰 위주의 모바일 단말기에 기반으로 한 서비스, 빅데이터 분석을 통한 재무관리 및 신용리스크 평가 등을 통해 기존 금융기관보다 현저히 낮은 비용으로 서비스를 제공할 수 있다는 점이다. 현재 결제·송금분야에서 핀테크 서비스가 가장 활발하며, 일부국가는 인터넷은행, 자금투자 등 금융본연의 업무까지 확대중이다.[4)]

4) 금융산업 지각변동 초래할 '핀테크(Fintech)'…어떤 종목이 뜨나?, 한국경제tv, 2015.01.26.

나. 핀테크 등장배경[5)]

이슈	내용
금융위기	금융위기 이후 영업이익이 급감하면서 기존 금융 상품과 서비스의 한계를 절감하고 새로운 성장 동력으로 핀테크를 주목
모바일 기술	많은 상업 거래가 모바일로 전환됨에 따라 스마트폰을 이용한 금융 거래 수요 증가
화폐 개념의 변화	물리적 실체를 교환하던 것에서 전자 데이터 상의 수치를 전송하는 것으로 화폐 개념이 변화
빅데이터	빅데이터 기술의 발전으로 데이터 처리가 불가능했던 금융 데이터를 활용한 새로운 비즈니스 모델 모색
개별화 금융 서비스 요구	금융 상품의 복잡도가 증가하면서 금융 소비자 개인에게 최적화된 서비스에 대한 요구가 증대하고 빅데이터 기술로 이를 해결하려는 움직임이 등장
금융 규제 완화	선진국에서 먼저 핀테크 서비스가 등장하자 국내도 핀테크 규제 완화 추진
금융 생산성 향상	정보통신기술을 이용해서 저비용 실시간으로 서비스 제공 가능
금융 롱테일	기존의 금융 서비스에서 소외되었던 소액 금융과 소액 대출에 대한 서비스 가능
데이터 수익 창출	광고나 3자에 대한 데이터 판매 등을 통해 수익 창출 가능
금융사기 예방	금융 데이터에 대한 보호가 중요해짐
금융 인프라 교체	P2P 네트워크나 비트코인 등 기존의 금융 인프라 외의 새로운 인프라 등장
금융기관 이탈	P2P 대출 등 새로운 금융 서비스의 등장으로 기존의 금융기관의 비즈니스 모델을 파괴하거나 기존 소비자의 금융기관 이탈을 촉발

[표 2] 핀테크의 등장 배경

5) 핀테크 시장 최근 동향과 시사점, 정해식, 정보통신기술진흥센터, 2018.04.11

다. 핀테크 발전배경[6)7)]

본 장에서는 핀테크가 현재의 핀테크로 성장할 수 있었던 배경에 대해서 살펴보고자 한다. 핀테크의 발전배경은 크게 4가지로 나누어 살펴볼 수 있다.

첫째, 핀테크의 발전은 ICT 발전과 모바일의 급속한 확산에 기인한다.

SNS, 클라우드컴퓨팅, 빅데이터, IoT, 증강현실 등 첨단 ICT의 발전과 모바일의 급속한 확산으로 금융소비자들은 수준 높은 금융정보에 접근이 가능해졌다. 과거에는 온라인이라 해도 물건을 사려면 집이든 직장이든 PC앞에 앉아야 했다. 그러나 이젠 손안의 모바일만 이용하면 하루 24시간 언제 어디서나 물건을 살 수 있다. 즉, 스마트폰 모바일의 편리함과 시장 확장성이 그만큼 크다는 얘기다. 모바일 소비시장이 이처럼 커져 모바일 결제송금 수요가 늘어나게 되었고 당연히 핀테크에 대한 관심도 높아질 수밖에 없는 상황이 만들어 졌다.

둘째, 핀테크의 발전은 핀테크의 급속한 기술혁신 속도와 금융소비자의 라이프 패턴 변화에 기인한다.

밀레니엄 세대를 중심으로 모바일 중심의 소비 행태 변화와 함께 전자상거래가 폭발적으로 증가했다, 이로인해 금융소비자의 선택권과 주도권이 강화되었다. 업계에 따르면 스마트폰을 사용하기 시작한 지난 10여 년간 핀테크의 기술 혁신이 두드러졌으며, 분야도 모바일결제, 송금에서 신용분석, 대출, 자산운용에 이르기까지 다양해졌다. 그 결과 핀테크 소비자들은 거래비용을 줄이고 원스톱서비스로 유용한 정보도 훨씬 많이 얻을 수 있게 됐다. 특히 소셜네트워크서비스(SNS)와 빅데이터의 활용은 고객 수요와 신용분석에서 금융기관이상의 정확성을 보여주고 있다.

셋째, 핀테크의 발전은 글로벌 금융위기 이후 대안금융의 모색에 기인한다.

2008년 미국발 서브프라임 모기지 부실 사태 이후 기존 금융기관에 대한 신뢰도가 하락하였고, 기존 금융기관의 수익성도 하락하여 새로운 성장 모멘텀을 찾기 위해 대안금융이 모색되기 시작했다. 이 당시, 미국과 유럽은 서브프라임 모기지(비우량 주택담보대출)의 부실화와 재정위기가 왔었다. 현재, 미국경제가 회복되고 있다곤 하지만 여전히 사상초유의 금융완화 이후 이전 금융시스템으로 돌아갈 수 있을지는 의문이다. 유럽 또한 은행들의 스트레스 테스트 결과 건전성, 안정성 등 합격기준을 얻은 곳이 별로 없다. 즉, 국제결제은행(BIS) 기준만으론 성장통화를 공급하기 어렵다는 얘기다. 결국 혁신적 금융기법을 활용한 수익모델 창출이 필요한데 그 대안 가운데 하나가 핀테크로 떠오르게 되었고, 이는 핀테크의 발전을

---

6) [정유신의 핀테크] 핀테크 확대의 배경, 비즈니스 라인-비트허브, 2015.12.19.
7) 핀테크의 발전 배경과 주요 동향, 정보통신정책연구원, 2016.02.

이끌었다고 할 수 있다.

넷째, 핀테크의 발전은 각국 정부의 전폭적인 지원과 규제 해제에 기인한다.

각국 정부는 핀테크 기업을 새로운 일자리 창출과 성장 동력으로 인식하고 스타트업 육성을 위해 핀테크 관련 규제를 적극적으로 개선하고 있다. 글로벌 IT기업들의 치열한 경쟁 때문에 이들 금융과 IT가 결합된 모바일금융 시장이 확장되고 있다. 글로벌 모바일시장은 지난 10년간 연 15% 이상 성장세다. 특히 중국은 2009~2014년간 불과 5년 만에 모바일 전자상거래가 2600억 위안에서 2조7900억 위안으로 10배 이상 늘었다. 실로 엄청난 모바일금융 확장세라고 할 수 있다. 하지만, 핀테크 도입에 따른 중국 국유은행들의 반발과 인터넷 금융의 보안 문제로 한계에 부딪힐 거란 의견도 있다. 그러나 그동안 돈을 많이 풀어 은행대출확대에 부담이 많은 중국 정부로선 자투리 돈을 모아 운용도 하고 중소기업 자금난도 해결해주는 핀테크 모바일금융이 미울 리 없다. 사실, 효율적 자금운용으로 중국정부가 원하는 개인소득 향상과 소비확대에도 기여하고 있는 게 현실이다.

라. 사업영역 분류[8)9)]

핀테크 산업은 크게 보면 결제·송금 등의 지급결제 영역, 예금·대출영역, 투자자문 등 기타 금융영역으로 구분할 수 있다. 최근에는 지급결제 및 예금·대출 영역 외에도 소비자들이 기업에 직접 투자하고 지분을 확보하는 방식의 서비스와 자산관리 서비스 등 다양한 영역으로 확대되고 있는 추세다. 특히 이 중에서 핀테크 기업들이 결제와 대출, 투자뿐만 아니라 소비자의 자산관리에도 진출하고 있음에 주목할 필요가 있다.

지금까지 금융 소비자들이 개별 금융기관의 지점과 웹을 통해 자문을 구하고 투자를 결정해야 했지만, 핀테크의 새로운 앱들은 이용자가 개별 금융기관의 지점이나 웹을 방문하지 않아도 보다 저렴하고 편리한 서비스를 제공받을 수 있다는 독특한 이점이 있다.

사업영역	내용	세부영역
지급결제	• 이용이 간편하면서도 수수료가 저렴한 지급결제 서비스를 제공함으로써 지급결제시장의 진입장벽을 완화	• Infrastructure • Online Payments • Foreign Exchange
금융데이터 분석	• 개인과 기업고객과 관련된 다양한 데이터를 수집하여 분석함으로써 새로운 부가가치를 창출	• Credit Reference • Capital Markets • Insurance
금융소프트웨어	• 보다 진화된 스마트기술을 활용하여 기존 방식보다 효율적이고 혁신적인 금융업무 및 서비스 관련 SW제공	• Risk Management • Payments • Banking • Asset Management • Insurance • Accounting
플랫폼	• 전 세계 기업과 고객들이 금융기관의 개입 없이 자유롭게 금융거래를 할 수 있는 다양한 거래기반을 제공	• P2P Lending • Trading Platforms • Personal Wealth • Aggregators

[표 3] 핀테크 사업영역 분류

10)

8) 금융산업 지각변동 초래할 '핀테크(Fintech)'…어떤 종목이 뜨나?, 한국경제tv, 2015.01.26.
9) 금융에서 본 핀테크, IT에서 본 핀테크, 유진투자증권, 2015.01.27.

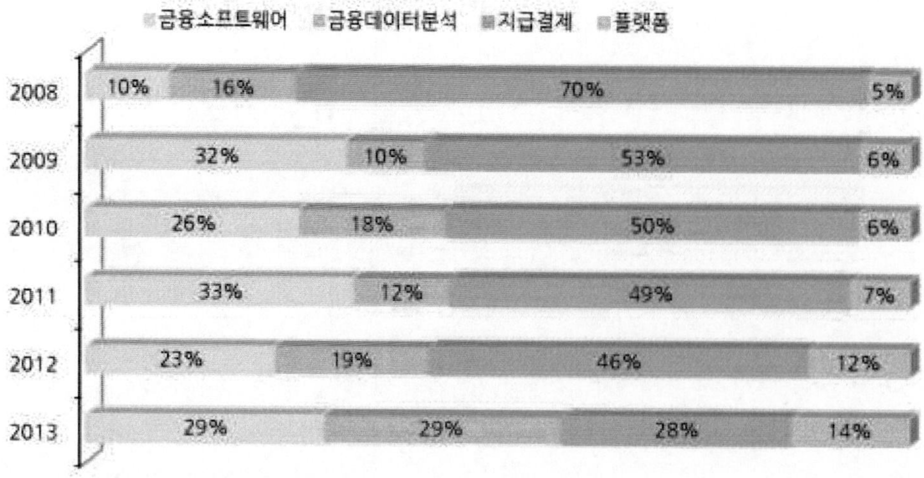

[그림 2] 핀테크 사업 영역 분류에 따른 투자 분야 변동

글로벌 핀테크 산업시장을 살펴보면, 일정한 유형을 보이며 성장하고 있다. 시장이 형성되기 시작하는 초창기에는 소비자에게 접근이 쉬운 지급결제 서비스를 중심으로 투자가 집중되며 초기 성장을 시작한다. 그러나 2008년 이후 핀테크 시장이 성장할수록 지급결제보다는 금융소프트웨어와 데이터분석, 그리고 개인 자산관리 부문까지 투자가 확대되며 핀테크 산업이 진화하는 모습을 보인다.

아직 한국은 지급결제 시장을 중심으로 핀테크 산업이 시작하려는 초기 단계에 있으나, 향후 핀테크 시장이 성장할수록 소프트웨어, 분석, 자산관리 등으로 진화를 도모할 것으로 예상할 수 있다. 또한, 앞으로는 기존 은행들이 했던 고유의 분야인 금융데이터와 플랫폼 부분의 중요성이 더욱 부각될 것으로 전망된다.

10) UK Trade & Investment

마. 핀테크를 활용한 사례[11)]

핀테크는 NFC 통신 기술을 기반으로 한다. 초기 핀테크가 핀테크로 불리기 전까지 지불결제 서비스는 NFC 서비스 가운데 하나였다. 핀테크는 모바일 결제 시장의 발전과 금융 서비스에서의 활용 범위가 확산되면서 적용 기술 또한 많아졌다. 핀테크 기술로 받아들인 기술에는 위치 기반 기술에서부터 빅데이터 처리 기술, 머신러닝, 딥러닝 등 수많은 IT 기술이 포함된다. 한 마디로 핀테크는 스마트폰과 금융과의 융합서비스가 수많은 IT 기술들을 통해 이뤄진다.

하지만 핀테크의 기본은 개인화를 기반으로 개인 행동패턴에 따른 위치 기반 O2O(online to offline) 금융서비스를 제공하는 것이다. 그래서 핀테크 기술의 핵심은 통계, 머신러닝, 딥러닝, 복잡계 등 다양한 알고리즘으로 분석하는 것으로, 실시간으로 온/오프라인 서비스를 제공할 수 있는 시스템간의 연계가 필수적이다. 이를 위한 핵심 기술로 대두되는 것은 인프라가 되는 모바일 기술과 함께 빅데이터 처리기술과 클라우드 인프라, 인증과 보안, 그리고 자동화다.

핀테크는 사용자 입장에서 원클릭 결제 등으로, 아주 간편한 프로세스를 갖고 있어 편의성과 효용성이 매우 높다. 그러나 공급자 입장에서 핀테크 프로세스의 지불결제 시스템과 데이터 흐름은 지불결제 업체에서부터 통신, 금융, 유통 업체에 이르기까지 복잡하게 얽혀있으며, 각 사업자간 공조 협력이 필수적이기 때문에 복잡하다.

핀테크 기술은 특정 IT 기술을 지칭하는 것이 아니다. 스마트폰을 통해 금융서비스를 하기 위해 필요한 여러 가지 문제들을 무선통신, 센서, 빅데이터 분석, 보안과 같은 여러 IT 기술들을 이용해 해결하는 것이다. 그래서 각 핀테크 서비스마다 활용하는 기술들은 각기 다르며, 같은 IT 기술이라도 서비스에 따라 다르게 활용할 수 있다.

---

11) http://kixxf.tistory.com/16

1) 페이팔의 지불결제 시스템

[그림 3] 페이팔

이베이의 자회사인 페이팔은 전자결제 서비스 플랫폼이다. 현재는 이베이 전체 수익의 40% 이상을 담당하고 있다. 페이팔의 주요 서비스 방식은 구매자와 판매자의 중간에서 중계를 해 주는 지불결제 대행서비스로, 구매자가 페이팔에 돈을 지불하고 페이팔이 그 돈을 판매자에게 지불하는 형식을 취하고 있다. 페이팔 간편결제는 계정을 만든 후 신용카드 번호나 계좌번호를 저장해 놓고 필요할 때마다 페이팔 로그인만으로 결제가 이뤄지는 방식이다. 해외에서 가장 기본적인 결제방식이지만 국내에서 이를 이용하려면 해외 사용이 가능한 비자, 마스터, 아멕스 등 카드를 등록해야 한다.

페이팔이 신용카드 업체에서 제공하는 서비스와 다른 점은 구매자 간에 신용카드 번호나 계좌번호를 알려주지 않고도 안전하게 거래를 할 수 있다는 점이다. 또한 신용카드와는 달리 페이팔 계좌끼리 송금, 수취, 청구할 수도 있다. 페이팔의 모회사인 이베이를 이용할 때는 더욱 간편하게 구성돼 있다.

이베이는 이 서비스를 미국에 한정시키지 않고 해외 사용자들도 적극적으로 이베이를 이용할 수 있는 창구로 페이팔을 활용했다. 이용자 간에 서로 다른 통화를 사용하더라도 페이팔을 이용하면 바로 환전할 수 있기 때문에, 서로 다른 국가의 판매자와 구매자들도 페이팔만 이용한다면 통화에 구애받지 않고 자유롭게 거래할 수 있다. 현재 페이팔로 이용할 수 있는 통화는 미국 달러와 유럽의 유로, 인본의 엔, 홍콩 달러, 영국의 파운드 등 총 25개 통화로 결제가 가능하다.

2) 알리페이의 선불결제 시스템

[그림 4] 알리페이

2003년에 출시된 알리페이는 사용자가 온라인 지갑에 미리 돈을 충전한 뒤 결제하는 선불 전자결제 시스템이다. 구매자는 알리페이의 가상 계좌에 돈을 송금한다. 알리페이는 판매자에게 송금 사실을 통보하고, 구매자가 물품을 받고 이상이 없음을 확인한 이후에 판매자에게 약속된 금액을 지급한다. 이 절차가 끝난 후에야 판매자는 자신의 알리바바 계좌에서 송금된 금액을 인출할 수 있다. 이를 통해 알리바바는 중국의 전자상거래 시장에서 가장 문제가 되었던 판매자와 구매자 간 불신 문제를 해결했다.

이 서비스를 통해 알리바바 그룹은 폭발적인 성장을 이뤘으며, 이제는 단순히 전자상거래 결제 서비스 분야 이상의 금융 사업을 확장해 나가고 있다. 알리페이는 돈을 송금할 수 있는 것은 물론 신용카드 대금 결제, 세금 납부, 교통비 결제 등 다양한 서비스를 제공하며 중국인들의 생활 전반을 아우르고 있다. 심지어 사용자들은 알리페이에 남아 있는 잔돈을 금융 상품에 투자하고, 알리페이 계좌를 기반으로 소액 대출까지 받을 수 있다.

현재 중국에서 알리페이는 단순히 중개 서비스 이상인, 대출, 투자 등 금융 관련 업무까지 아우르는 금융업체로의 역할을 수행하고 있다. 최근 지불결제 대행 시스템의 경우 이상거래탐지시스템(FDS)을 도입해 부정사용이 의심되는 거래를 실시간으로 분석하기 때문에 보안성도 한층 강화됐다.

3) 트랜스퍼와이즈의 P2P 기반의 송금 시스템

[그림 5] 트랜스퍼와이즈

국내에서 해외에 있는 상대방에서 돈을 송금할 때나 해외 직구를 할 때 대부분 송금 수수료나 해외 결제 수수료가 발생하는데, 보통 사용자들은 환율에 대해서는 민감하지만 수수료에 대해서는 지불해야 하는 세금으로 파악하는 경향이 있다. 이를 통해 은행이나 신용카드업체들은 해외 송금과 결제에서 쉽게 돈을 벌고 있다.

이에 해외 송금에 대해 P2P 방식을 도입함으로서 송금 수수료를 내려 소비자에게 실질적인 이익을 주는 핀테크 업체가 바로 트랜스퍼와이즈(transferwise)다. 트랜스퍼와이즈는 최대 0.5% 수수료와 이용자 관점에서 최적의 환율 선택을 제공한다. 송금 또는 해외 결제 금액이 커지면 커질수록 수수료가 높아지는 기존 관행도 적용되지 않는다. P2P 방식에 기초한 송금 서비스이기 때문에 단순하고 사용자 중심의 송금 서비스가 가능하다. 같은 지역에서 교환이 된 돈에는 해외 송금 수수료가 발생할 이유가 없으며, 가상으로 환전이 이루어지기 때문에 사용자들은 수수료 없이 송금을 할 수 있다.

이런 서비스가 제대로 운영되기 위해서는 일정한 규모의 임계점을 돌파해야 한다. 각 지역에서 송금을 원하는 사용자가 충분히 존재해야 한다는 것이다. 각 지역에서 임계점을 돌파하거나 사용자가 많으면 많을수록 사용자들은 실제 해외송금 없이 해외송금 서비스를 받을 수 있다. P2P를 기반으로 한 핀테크 분야에는 대출 중개 서비스도 있다. 이는 대출자와 차입자를 직접 중개해 금융거래 비용을 절감하도록 하는 서비스다.

4) 애플 페이의 NFC를 이용한 모바일 결제 서비스

[그림 6] 애플 페이

애플은 아이폰 6를 출시하면서 애플 페이(Apple Pay)를 동시에 선보였다. 애플 페이는 다른 지불결제서비스와 달리 NFC를 이용한 모바일 결제 서비스다. 애플 페이를 이용하기 위해서는 기존의 모바일 결제 방식과 마찬가지로 아이폰의 기본 앱인 패스북에 신용카드나 직불카드의 정보를 추가해야 한다. 그러나 애플은 자사의 결제 방식이 매우 안전하다고 밝혔다. 카드번호가 스마트폰 기기 자체나 애플의 서버에 저장되는 것이 아니기 때문이다.

애플 페이는 사용자의 카드번호를 등록하는 대신 각각의 카드에 암호화된 고유한 기기 계정 번호를 부과한 후 이를 사용자의 아이폰이나 애플 워치의 안전한 위치에 저장한다. 그리고 각각의 결제 요청에 대해서는 앞서 설명한 기기 계정 번호를 이용해 일회성의 인증번호를 생성, 확인 절차를 거치는 것으로 결제 작업을 안전하게 처리한다.

갖다 대기만 하면 결제가 되는 것이 NFC의 기본 원리이자 취지다. 그러나 지금까지 업계에서는 기기 분실, 도난 이후 제 3자의 이용 가능성 등에 대비해 추가적인 신원 인증 절차를 도입했는데, 이는 NFC의 확산을 저해하는 주요 요인 가운데 하나였다. 수많은 신원 인증 가운데서도 애플은 지문 인식 시스템을 선택해 사용자들이 추가적인 인증 절차를 거치는 부담스러움을 손가락만 갖다 대면 가능하도록 만들었다. 이것이 아이폰 5s에서부터 도입한 지문 인식 기술인 터치ID인데, 이번 애플 페이 시스템에서의 신의 한수로 평가된다.

5) 비트코인 금융 시스템

[그림 7] 비트코인

연간 480억 달러 규모의 신용카드 수수료가 신용카드 가맹점에서 은행 또는 신용카드사로 흘러가고 있다. 신용카드 거래 수수료는 핀테크 스타트업을 비롯한 IT 대기업들이 새로운 시장을 만들기 위해 도전하고 있는 분야이다.

이 시장을 차지할 새로운 공략법은 크게 두 가지가 있다. 첫째, 복수의 중개자를 가진 전통 지불체계를 우회할 수 있는 새로운 기술을 도입하는 것이다. 둘째, 이른바 가맹점과 금융권이 수수료 체계에 대해 재협상을 진행하거나 낮은 수수료를 제시하는 새로운 금융기업이 시장을 지배하는 방식이다. 두 번째 방식은 현재 수수료 시장을 붕괴시키지 않으면서 시장을 발전시킬 수 있으므로 전통 금융권이 주로 도전할 분야가 될 것이지만, 첫 번째에는 새로운 기술을 가지고 서비스할 기업이 있어야 한다. 많은 IT 기업들이 이 방식을 구현해 내기 위해 노력하고 있는데요. 그중 하나가 바로 비트코인이다.

비트코인은 전 세계 어느 곳으로 송금해도 수수료가 발생하지 않고, 거래 수수료는 신용카드에 비하면 매우 낮은 수준이다. 특히 소액결제에서 강점을 보이는데, 1천 원 단위의 물품을 결제할 때 수수료가 발생하지 않으므로, 거래 수수료로 들어가던 비용이 고스란히 상인의 몫이 되니 당연히 판매자가 이를 선호할 수밖에 없는 것이다. 게다가 지불 안전성 측면에서 비트코인은 신용카드에 뒤처지지 않는다. 비트코인은 바람직한 (미래)화폐의 구체적인 상을 보여주었을 뿐 아니라, 상거래 주체가 자신들의 이윤이 축소되지 않는 지불수단을 강력하게 희망하고 있음을 확인시켰다.

6) 구글 은행

해외에서는 스마트폰과 SNS 사용 경험이 많은 젊은 층을 중심으로, 계좌 정보의 흐름을 타임라인으로 제공하며 계좌 이체를 보다 쉽게 할 수 있도록 돕는 서비스들이 사랑을 받고 있다. 사용 중인 모든 은행 계좌와 신용카드의 흐름을 한눈에 파악하고 미래의 지출을 쉽게 계획할 수 있도록 돕는 모바일 서비스가 젊은 세대를 사로잡았기 때문이다.

금융 산업이 디지털화되고 금융 정보 역시 데이터화되면서 끊임 없이 진화하는 디지털 기술을 필요로 하고 있다. 그 속에서 소비자 행동을 분석하고, 이와 함께 다양한 금융 거래 서비스의 관계를 분석하는 데 있어 아직 구글, 페이스북, 아마존, 애플과 같은 글로벌 IT 기업을 따를 자는 없을 것으로 보인다. 따라서 이들이 전통 금융 시장을 근본부터 새롭게 재편하는 것은 이미 예견된 일이라 할 수 있다.

전 세계 흩어진 다양한 대부 기관과 이용자의 대출 수요를 효과적으로 연결하는 중개 플랫폼 서비스를 시작할 날도 머지않았다. 구글이 2007년 영국 금융감독위원회(FCA: Financial Conduct Authority)로부터 “Google Payments LTD”라는 이름으로 은행 사업권을 따냈지만, 구글이 은행들과 은행 감독 기관의 반발을 무릅쓰고 전통적인 은행 사업에 뛰어들 가능성은 없어 보인다. 아마도 구글은 안드로이드 운영 체계를 기반으로 새로운 개념의 은행 및 금융 서비스를 시작할 것으로 전망된다. 다만 그 구체적인 모습이 어떠할지는 아직 예측하기 어렵다.

Ⅱ. 핀테크 국내외 산업동향

2. 핀테크 국내외 산업동향[12)13)]

2016년 1월2일, CNN에서 보도한 기사를 보면 2016년은 '현금 없는 사회'를 알리고 있다. IT분야를 선도하는 유럽의 덴마크, 스웨덴, 노르웨이가 현금 없는 사회로 진출하기 위한 발 빠른 움직임을 보이고 있다. 아시아에선 역시 IT분야를 선도하고 있는 대한민국도 '현금 없는 사회'로 가기 위한 준비를 하고 있다. 현금 없는 사회를 이끌고 있는 전자 결제시스템인 유럽의 모바일페이, 아시아의 삼성페이, 미국의 애플페이는 서로 경쟁하며 시장을 넓혀가다가 결국에는 이 모든 것을 통합한 전 세계적인 전자 결제시스템이 탄생될 것이다.

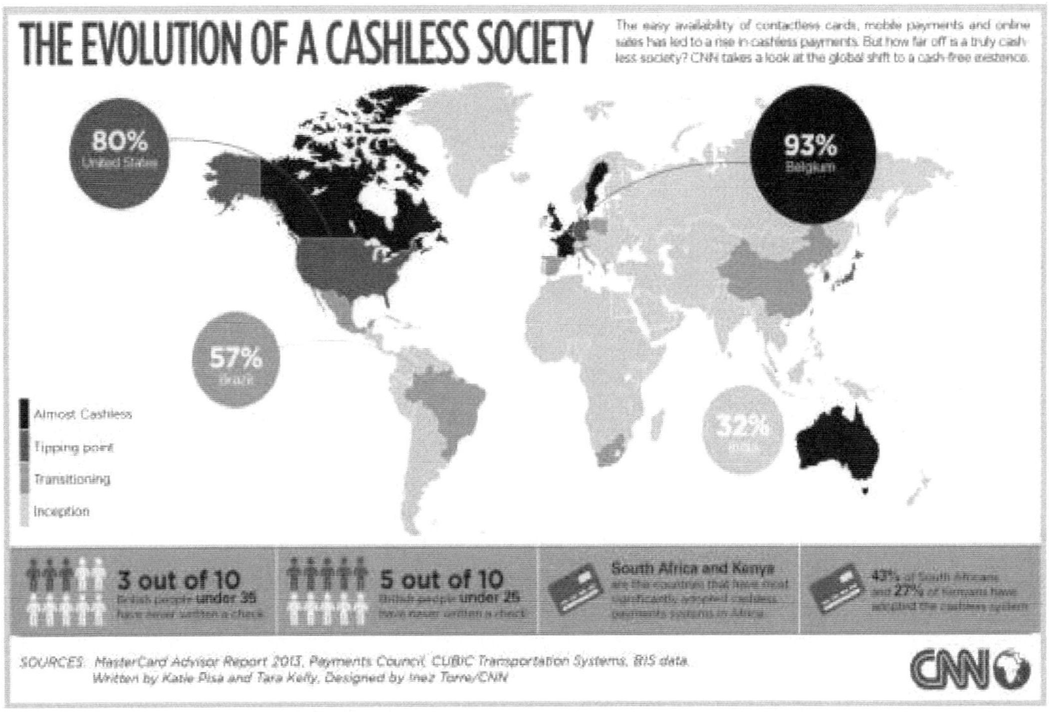

[14)]

[그림 9] 현금 없는 사회를 위한 준비 국가

핀테크는 기존의 금융업의 가치사슬을 뒤바꿀 수 있는 혁신의 속성을 보유하고 있다. 또한 접근성이 극대화된 인터넷, 모바일 기반의 플랫폼 산업, 방대하고 다양한 데이터 처리가 가능한 빅데이터 기술 등에 의해 기존의 금융 진입장벽이 완화되고 있는것도 핀테크의 혁신에 한 몫을 하고 있다고 해도 과언이 아니다.

---

12) 국내외 핀테크 관련 기술 및 정책동향 분석을 통한 연구분야 발굴, KISA, 2016.02.
13) 핀테크 시장 최근 동향과 시사점, 정해식, 정보통신기술진흥센터, 2018.04.11
14) CNN

현재 핀테크 서비스는 결제 및 송금, 대출 및 자금조달, 자산관리, 금융 플랫폼 등 다양한 분야에서 전통적인 금융산업을 효율적이고 생산적인 방향으로 선도하고 있다. 지금까지 금융 서비스를 위해서 당연히 존재했던 사람이나 은행뿐만 아니라 심지어 돈이 없어도 되는 핀테크 서비스가 규제 개선에 힘입어 선진국뿐 아니라 후발국에서도 빠르게 도입되고 있다.

특히, 핀테크 혁신으로 스마트폰을 이용한 모바일 금융거래가 빠르게 늘어나면서 전통 채널인 은행 영업점이 위협을 받고 있다. 다시말해, 스마트폰의 보급과 모바일 쇼핑 활성화에 힘입어 간편결제 시장이 빠르게 성장함에따라 은행이 독점적으로 처리해 왔던 업무의 지위는 점점 더 약화되는 추세를 보이는 것이다.

한편, 핀테크의 글로벌 확산과정에서 후발주자로만 치부되고 있던 중국이 큰 주목을 받고 있다. 모바일 결제, 인터넷 전문은행 및 P2P 대출 등 핀테크 분야에서 중국은 글로벌 대표 주자 가운데 하나로 부상했다.

중국이 이처럼 후발주자에서 급격한 성장을 거쳐 대표 주자로 부상할 수 있었던 배경에는 개방적이고 우호적인 규제환경, 고도로 발전된 인터넷, 전자상거래 비즈니스, 금융취약계층의 엄청난 미충족 금융 수요 등을 들 수 있다.

가. 국내

1) 국내 핀테크 산업 발전 현황[15)]

국내 핀테크 산업은 해외보다 뒤처지는 양상을 보이고 있다. 지급결제 시장의 경우, 해외에서는 미국 페이팔, 중국 알리페이 등과 같이 국가별 주도 사업자가 글로벌 경쟁에 나서고 있다.

국내는 통신사, 인터넷 서비스 기업 등이 경쟁적으로 지급결제 서비스를 내놓고 있다. 국내 핀테크 시장은 네이버페이, 삼성페이, 페이코, 카카오페이 등 4강 체제로 굳혀질 전망이다. 일찌감치 간편결제 시장에 진출한 삼성페이는 2020년 8월 기준으로 1900만명의 가입자를 확보했다. 2018년 국내 오프라인 간편결제 금액의 80%가 삼성페이를 통해 결제된 것으로 조사되면서 시장 1위 자리를 유지하고 있다.

해외에서는 스타트업 등 전문화된 업체들이 핀테크 시장에 뛰어들어 다양한 영역에서 혁신적인 서비스들을 내놓는 사례가 많다. 하지만 국내에서는 대형 ICT 기업들이 중심이 되어 기존 사업의 연장선상에서 영역을 확대하려는 목적으로 지급결제 서비스를 중점적으로 추진하고 있다. 결과적으로 우리나라에서는 해외 핀테크 기업들과 같이 다양한 영역에 걸쳐 새로운 형태의 서비스를 상용화하려는 시도가 나타나지 않고 있다.

상황이 이렇다 보니 한국의 핀테크 경쟁력은 전 세계적으로 뒤처지는 양상이다. 다국적 컨설팅 그룹 KPMG가 매년 선정해 발표하고 있는 '세계 100대 핀테크 기업' 순위에 2018년 한국 기업은 '비바리퍼블리카(토스)'와 '데일리금융그룹'만 포함됐다. Top 10 기업 중 중국 기업은 알리페이를 포함한 11곳이 선정된 것과 비교하면 적은 수이다.[16)]

15) 국내외 핀테크 산업의 주요 이슈 및 시사점, 우리금융경영연구소, 2015.
16) 삼성전자, '삼성페이' 가입자 1900만 확보... 전용 특화카드도 출시, 조선비즈 이○○기자,2020

구분	종류	회사	서비스 명칭
송금	플랫폼	다음카카오	뱅크월렛카카오(모바일지갑), 카카오페이(편결제), 증권플러스 for Kakao
		네이버	라인페이, 네이버페이
	IT업체	비바 리퍼블리카	토스(송금, 계좌이체)
결제	모바일 기기	삼성전자, LG전자	삼성월렛(전자지갑), 삼성페이, 앱카드
	통신사	KT	모카월렛(전자지갑), 모카페이(간편결제), 페이온 플러스, 탭사인, Olle Touch, 올레앱 안심인증
		LG U+	Paynow+(간편결제), U+스마트월렛, 페이나우플러스
		SKT	BLE 페이먼트
	PG 업체	LG CNS	Mpay
		KG 이니시스	INIpay, Kpay
		페이게이트	MCP, AA(간편결제)
		KG 모빌리언스	엠틱, MCASH
		한국사이버결제(KCP)	페이코(컥페이), 페이온(NPC 결제)
		브이피	일반결제(ISP), BC PayALL(간편결제), ISPay(휴대폰 결제)
	오픈 마켓	이베이, G마켓, 옥션	Smilepay(간편결제)
		인터파크	Yellopay
		티몬	티몬페이
	기타	SK 플래닛	페이핀(간편결제), 시럽(전자지갑)
		다날	바통(직불결제)
		한국 NPC	모바일 NPC 간편결제

[표 4] 국내 주요 핀테크 기업 현황 (출처 : 여신금융연구소)

구분	종류	회사	서비스 명칭
자산관리	개인 온라인 자산관리	에셋다이어리, 리더스리치, 키움에셋플래너 등	자산관리, 재무설계
투자	크라우드 펀딩	팝펀딩	굿펀딩(P2P 대출 모집)
정보 보호 및 데이터 분석	모바일 보안	현재 지금 결제 분야 이외에 국내 정보 보호 업체 대다수가 핀테크 보안 분야에 포함되거나 진출 중으로 구체적 회사명칭 및 서비스명 생략	
	보안 솔루션 개발(FDS, 안증 등)		
	인터넷 정보 보호		
	개인, 기업 보안		

[표 5] 국내 주요 핀테크 기업 현황 (출처 : 여신금융연구소)

기업	개요
KT	• 페이온 플러스 : 배달전용 오프라인 간편 결제 서비스 • 올레앱 안심인증 : 휴대폰 고유 정보로 금융기관의 앱 이용시 자동으로 사용자 본인 인증
SKT	• BLE페이먼트 : 스마트폰과 POS 기기 간 결제정보 무선 교환으로 오프라인 매장에서 결제
LG U+	• 페이나우 플러스 : 안전패턴, 그래픽 인증을 이용한 간편결제
다음 카카오	• 뱅크월렛카카오 : 가입회원끼리 송금 및 오프라인 결제 • 카카오페이 : 카카오톡을 기반한 간편결제 서비스 제공
네이버	• 네비버페이 : 원클릭 결제 및 송금 지원
삼성전자	• 삼성월렛 : 신용카드사 제휴로 앱 카드 결제 서비스 제공 • 삼성페이(美, 3월 예정) : 마그네틱 보안전송 기술(루프페이 기술_ 기반 [17] 오프라인 결제 서비스

[표 6] 국내 ICT기업 지급결제 사업 현황

2) 국내 핀테크 산업 성장 부진 이유

우리나라의 핀테크 산업의 성장이 부진한 이유는 법과 규정에 의한 사전 규제, 즉 환경적 요인이 크다. 금융업 특성상 필수적인 보안 요건과 관련 기술을 갖추는 것이 중요하나, 현재 시스템에서는 전자금융업자의 등록요건을 맞추기 위해 불필요하게 자본을 늘려야 하거나, 추가 인력과 시스템을 구축해야 하는 등의 문제가 존재한다.

최근 정부는 간편 결제 서비스 활성화 차원에서 PG사도 카드정보를 저장할 수 있도록 허용하였으나, 실제 그 요건을 충족해 신용카드 정보 저장이 가능한 업체는 PG업계 전체의 60%에 불과한 실정이다. 정부의 간편 결제 활성화 정책이 결과적으로 일부 기업에만 한정되다보니 정책의 실효성이 떨어진다는 의견이 업계에서 제기되고 있다.

모바일 환경과 기술력으로 보면 한국은 핀테크 산업이 발달하기 좋은 조건을 갖춘 나라에 속한다. 인터넷, 스마트폰, 솔루션, 보안등 기술력과 인프라 보급은 글로벌 최상의 수준이기 때문이다. 다만 핀테크 산업은 ICT 기술력을 금융서비스에 접목하는 시도에서 성장할 수 있는데, 한국은 금융 산업의 규제로 인해 ICT와 금융을 융합하기 어려웠다.

전자금융거래에 관한 법뿐만 아니라, 여신전문금융업법, 외환거래법, 자본시장법 등 다양한 관련 법제로 인해 사업 추진이 어려운 경우도 발생하고 있다. 일례로 우리나라에서는 크라우드 펀딩 사업의 허가를 위해 2013년 6월 크라우드 펀딩 관련 자본시장법 개정안이 발의됐지만 1년 6개월째 국회에 계류 중인 반면, 선진국의 경우 이미 관련 법안을 통과시켜 크라우드 펀딩 산업을 육성하고 있다.

---

17) 각사 발표자료 종합

국가	시행시기	내용
미국	2012.04.	소규모기업의 창업자금조달촉진법에 관한 '잡스(JOBS)'법을 제정
영국/ 이탈리아	2012.10.	크라우드 펀딩 육성계획과 창업을 위한 혁신 및 성장촉진법을 제정
일본	2014.05.	크라우드 펀딩 관련 개인거래법을 제정하여 시행 중

[표 7] 크라우드 펀딩 관련 선진국 법안 제정 현황

18)

하지만 정부와 금융계는 핀테크와 빅데이터를 이용한 새로운 시장을 개척하기 위해 계속인 시도를 하고 있다. 최근 금융위원회는 핀테크 진흥 일환으로 '금융권 빅데이터 활성화 방안'을 발표했다. 이에 따라 최근 빅테이터를 접목하려는 시도가 잇따르고 있으며 상품개발과 부정방지, 마케팅 활용 및 신용평가 등의 업무를 효율적으로 도울 수 있다는 판단 때문에 금융 비즈니스의 성패가 빅데이터에 달려있다는 의견도 나온다. 하지만, 아직까지는 데이터 분석을 통한 고객 개인화 서비스를 제공하는 데서 그칠 것이라고 예상된다.

해외의 경우, 포지티브 리스트 방식에 의한 정부 규제보다는 민간에 의한 보안 표준의 도입과 시장 필터링 기능에 의해 자율적으로 보안을 강화하고 있는 추세다. 우리나라는 구체적인 보안사항을 사전에 지정하는 포지티브 리스트 방식의 규제로 규정 개선이 제때 이루어지지 않을 경우 기술 발전에 뒤처지는 문제점이 발생하는 반면, 선진국들은 네가티브 리스트 방식을 도입하여 민간에 상당한 자율권을 부여하고 있다. 일례로 미국의 경우에는 민간 기업이 주도하여 자체적으로 'PCI DSS(Payment Card Industry Data Security Standard)'라는 보안표준을 만들고 기준에 미달하는 기업들은 시장 진입 자체가 어려운 생태계를 구축했다.

PCI DSS는 비자, 마스터카드, 아메리칸 익스프레스, JCB 등 글로벌 신용 카드사들이 설립한 PCI 보안 표준 협의회(PCI Security Standards Council)에서 만든 데이터 보안 표준 인증으로, 결제 정보를 처리하는 기업이 갖춰야 할 글로벌 정보보호 인증을 말한다.

18) 언론 보도 자료 종합

한편 한국도 핀테크 산업 육성을 위한 조치의 하나로 전자상거래 결제 간편화 방안이 마련되어 전자상거래 시장에서 불편한 문제를 해결할 예정이다. 이에 따라 실제로는 오랜 시간이 걸릴 수도 있으나, 원클릭 결제 서비스를 저해하는 기술력 문제는 제도적으로 해결 가능한 방향으로 전개되고 있다. 아울러 법적, 제도적 규제도 완화하며 인터넷 전문은행, 크라우드 펀딩, 간편 결제 등 핀테크 산업을 육성하려는 정책 변화가 시도 되고 있다.

종전	개선
• 사전 인증절차(2-click) • ID, PW 간편 결제 정보입력 + 휴대폰 인증 등 사전 인증	• 사후 인증절차(1-click) • ID, PW 간편 결제 정보 입력 + 사후 인증으로 대체
• PG 사(전자지급결제대행업체)의 카드정보 저장 불가	• PG 사의 카드정보 저장 허용
• Internet Explorer에서만 동작하는 비표준 기술인 Active-x를 많이 사용 • Internet Explorer 점유율 88%	• Active-X 완전 추방(보안프로그램, 결제창, 공인인증서 등) 글로벌 웹 표준 확산(HTML5)
• 30만 원 이상 결제 시 공인인증서 요구 • 카드사 간편 결제 : 공인인증서 요구 • PG 사 간편 결제 : 휴대폰 인증 + 공인인증서 추가 요구	• 금액에 상관없이 다양한 인증체계 개선 • 카드사 간편 결제 : 휴대폰 인증 또는 공인인증서 선택 • PG 사 간편 결제 : 휴대폰 인증

19)

[표 8] 전자상거래 간편화를 위한 정책 방안

또한 국내 지급결제 시장의 경우, 결제시장 환경의 특수성으로 인해 핀테크 기업의 창업이 저조하게 나타나고 있다. 최근 공인인증서 의무사용이 폐지되는 등 점차 개선되는 방향으로 나아가고 있으나, 과거 인터넷 익스플로러 기반 보안정책의 영향으로 여전히 ActiveX 사용 비중이 높은 실정이다. 금융서비스와 직간접적으로 관련된 보안, 인증, 결제 등의 부문에서 ActiveX 사용 비중은 전체의 61.3%에 달하고 있다.

19) 금융위원회

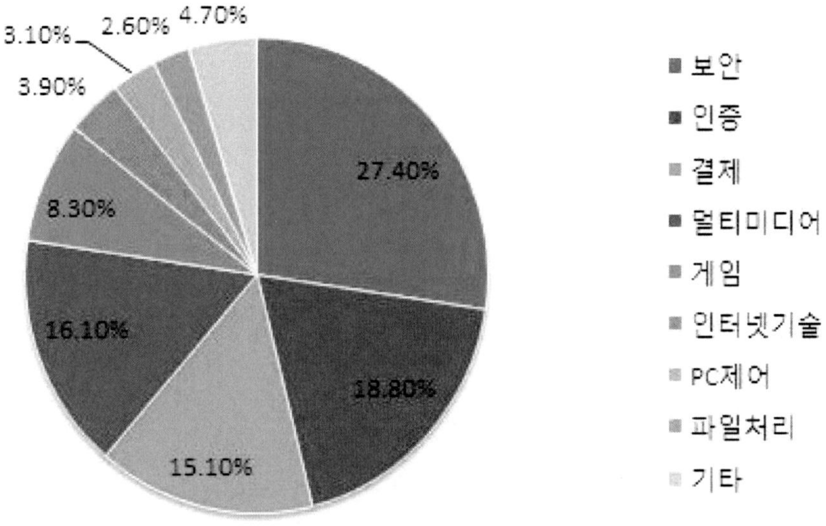

[20]

[그림 10] ActiveX 기능별 사용 비중

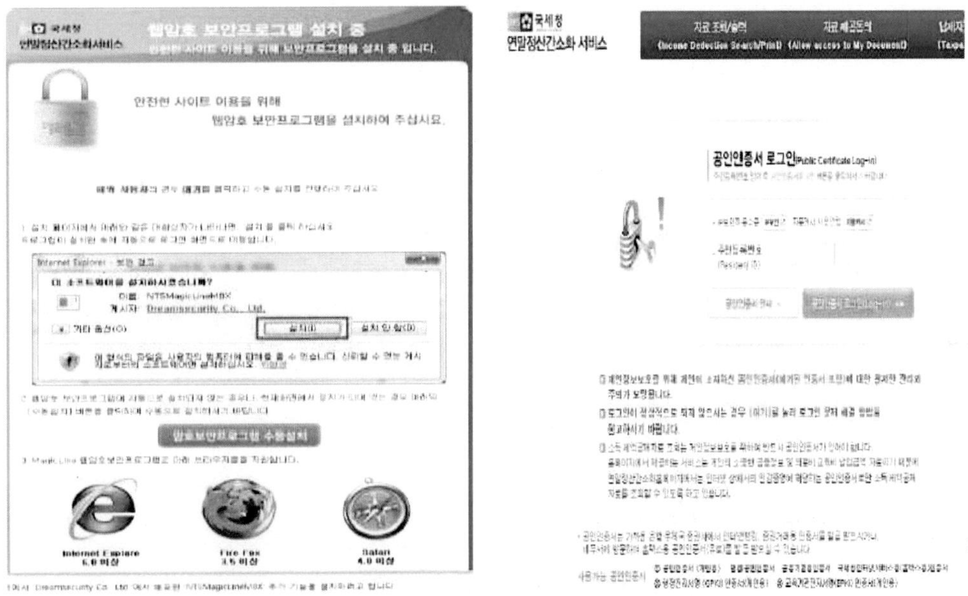

[21]

[그림 11] Active-X 설치와 공인인증서 요구 사례

따라서 ActiveX를 지원하지 않는 인터넷 브라우저나 보안기술을 제공하는 핀테크 기업의 기술 활용 자체가 불가능하거나, 기존 서비스의 틀을 크게 벗어나지 못하는 문제가 발생하고 있다. 최근 정부도 ActiveX 비중을 줄이기 위해 개선안을 발표했으나, 이미 오랜 기간 사용된 ActiveX 기반 인프라에서 탈피하기 위해서는 앞으로 상당 기간이 소요될 것으로 예상된다.

20) 한국인터넷진흥원, 2014.01.
21) 국세청

3) 국내 ICT기업 핀테크 동향

최근 모바일 디바이스 사용이 급증했고 모바일을 통한 금융거래가 늘어나면서 관련 산업이 발전할 수 있는 여건이 형성되어 핀테크가 주목받고 있다. 글로벌 ICT 기업들은 모바일 네트워크 기반으로 다양한 형태의 핀테크 서비스를 제공하고 있다. 초기 핀테크 기반 서비스는 지급결제, 송금/전자화폐, 펀딩, 자산관리와 같이 기존 금융서비스에 국한된 형태가 많았다. 하지만, 다양한 ICT기술을 접목시키며 새로운 아이디어의 핀테크 서비스가 나타나고 있다. 글로벌 은행들은 핀테크의 중요성을 인식하고 관련 기업에 대한 투자와 지원을 하고 있으며, 우리나라도 인터넷 은행을 확정하는 등 핀테크 산업은 확대되고 있다.

가) 인터넷뱅킹 진출

글로벌 ICT기업들의 국내·외 금융시장 진출에 의한 새로운 금융수익 실현 기회의 확대와는 달리 국내의 경우 비금융기관의 기존 금융기업의 규제 장벽으로 인하여 금융업 진출 및 서비스 혁신은 대단히 어려운 실정이다. 국내의 경우 전자금융 거래법[22]에서 비금융기관은 여、수신, 증권, 보험 등의 일반 금융업무 영위가 불가하며, 금융위원회의 허가 하에서 전자화폐 발행 및 관리 업무 수행이 가능하고 등록에 의한 전자자금 이체, 직불전자지급수단 발행 및 관리, 선불전자지급수단 발행 및 관리, 전자지급결제 대행, 결제대금 예치, 그리고 지급인이 수취인에게 지급해야 할 자금내역의 전자고지 및 자금수수、정산을 대행하는 전자고지 결제에 대해서만 가능하다. 또 다른 금융서비스 혁신의 제약 요인으로는 공인인증서의 사용 등 복잡한 규제에 있다.

이와 같이 국내 ICT기업들의 금융업 진출에 대한 제약 및 현실적 시장진입의 어려움과 달리 주요 해외 ICT 기업들은 비금융기관의 금융업 규제에 대한 완화추세로 금융업 진출이 활발한 가운데 확장추세에 있다. 예를 들면, 일본은 비금융기관의 금융업 진출을 허가제가 아닌 등록제로 운영하고 있으며, 중국은 오히려 정부차원에서 ICT기업을 포함한 비금융기관의 금융업 진출의 장려와 ICT기업을 포함한 주요 기업에 대해 민영은행설립 시범사업권을 부여하였다. 유럽의 경우 패스포팅(Passporting) 규정에 따라 EU 중 한 국가에서 비금융기관의 금융업 허가 시 EU전체에서 금융업 수행이 가능하도록 되어 있다.

---

22) 2007.01.

<table>
<tr><th>업종</th><th>기업</th><th colspan="2">주요 금융서비스</th></tr>
<tr><td>SNS</td><td>KAKAO</td><td colspan="2">• 2014년 11월 카카오톡 기반의 송금·결제서비스 ‘뱅크월렛 카카오’ 출시
• 카카오톡 기반의 주식 정보제공 및 매매서비스 ‘카카오 증권플러스’ 출시
• 주식매매 기능은 2014년 하반기 추가
• 2017년 4월 5일 금융위원회는 한국카카오은행에 대한 은행업을 인가
• 2017년 7월 27일 카카오뱅크 정식 출범</td></tr>
<tr><td rowspan="2">제조</td><td>SAMSUNG</td><td colspan="2">• 2013년 5월 신용카드사와 연계해 전자지갑 서비스 ‘삼성월렛’ 출시
• 멤버십카드 및 신용카드 정보 등록 후 간편결제 기능 제공
• Bixby의 음석인식을 통하여 송금 가능</td></tr>
<tr><td>케이뱅크</td><td colspan="2">• 2017년 4월 3일 케이뱅크 영업 개시</td></tr>
<tr><td rowspan="3">통신</td><td>SK TELECOM</td><td>• 2010년 SKT ‘스마트월렛’ 전자지갑 출시</td><td rowspan="3">• 은행·신용카드사와 연계해 스마트폰의 바코드, QR(Quick Response) 코드, NFC 등으로 온·오프라인 결제기능 제공 23)</td></tr>
<tr><td>KT</td><td>• 2012년 KT ‘모카월렛’ 전자지갑 출시</td></tr>
<tr><td>LG U+</td><td>• 2011년 LG U+ ‘스마트월렛’ 전자지갑 출시</td></tr>
</table>

[표 9] 국내 ICT 업계 금융서비스 현황

국내 ICT업계의 경우 해외 주요 ICT기업들과 달리 소극적인 시장 대응으로 내수 위주의 전자지갑(Wallet) 서비스 및 은행 등 금융기관과 연계한 스마트폰의 바코드, QR(Quick Response)코드, NFC 등의 결제서비스 상품을 출시하고 있는 정도이다. 이 같은 최소한의 시장진입 마저도 모바일 사용자들의 낮은 저변확산과 이용불편성 등이 시장 확대 저해요인이 되고 있다.

최근 카카오톡은 SNS기반의 금융서비스 카카오페이를 출시하였는데 이는 카카오톡 애플리케이션(앱 응용프로그램)에 신용카드 정보를 등록해 놓은 뒤 인터넷 쇼핑몰 등에서 물건을 살 때 비밀번호 입력만으로 간단히 결제할 수 있는 서비스이다.

23) ICT업계의 금융업 진출에 따른 시장영향 분석, KDB산업은행 산업이슈, 2014.07.

카카오 금융서비스는 2014년 11월에 송금 및 결제서비스 관련 뱅크월렛카카오를 출시하였으며, 주식관련 서비스인 증권플러스 기능을 보강하였다.

구분	제휴기관	주요기능	
증권플러스	주요증권사[24]	정보제공	• 주식 종목 및 시황정도 실시간 제공 • 카카오톡 이용자간 정보 교류
		주식매매	• 카카오톡과 연동한 실시간 주식매매
뱅크월렛 카카오	금융결제원 및 주요은행[25]	현금충전	• 최대 50만원 한도, 금액 소진시 자동충전
		송금	• 카카오톡 ID기반 일 최대 10만원 송금(송금 완료시 메시지 표시, 송금취소 가능) • 건당 수수료 100원(예정)
		현금출금	• NFC기반 자동입출금기(ATM)에서 출금
		결제	• NFC기반 온라인·모바일 쇼핑몰 소액결제 [26]

[표 10] 카카오 금융서비스 내용

카카오톡은 기존 은행 모바일뱅킹과 비교할 때 송금절차가 축소되어 있으며, 결제정보의 저장, 익숙한 사용 환경 등의 편의성 증가를 통해 기존 금융기관 서비스에 비해 차별화 되어 있다. 또한 SNS의 특성인 네트워크 효과로 단기간 내 서비스 확산에 대한 잠재력을 보유하고 있다.

24) 대신, 미래에셋 삼성, 키움 등 4개 증권사
25) 기업, 국민, 외환, 수협, 농협, 우리, SC, 신한, 씨티, 대구, 부산, 전북, 제주, 경남, 우정사업본부 등 15개 은행
26) 국내외 핀테크 관련 기술 및 정책동향 분석을 통한 연구분야 발굴, KISA, 2016.02.

나) 금융사 핀테크 현황

급격한 성장세를 보이고 있는 해외 핀테크 산업과 달리 국내의 핀테크 산업은 아직 걸음마 수준에 머물러 있는 상태이다. 한국은 IT 인프라는 잘 갖추어져 있으나, 세계 100대 핀테크 기업 중 국내기업은 두 곳뿐이다. 최근 지급결제 분야에서 다음과 네이버 등의 대형 ICT업체들이 송금 및 지급 결제시장에 진입하였으나 성과를 내놓지 못하고 있는 실정이다. 여신전문금융업법 등 금융관련 법률은 금융업 진입 조건을 엄격하게 규정하고 있고, 금융위원회와 금융감독원 등 여신 감독기관의 심사를 통과해야 금융업 허가가 가능하기 때문이다. 또한 대기업의 금융 진출에 따른 경제 불균형을 우려한 금산분리 원칙에 따른 금융규제로 핀테크 등 금융과 타 산업의 융합이 정체되어 있다. 그래서 정부의 적극적인 핀테크 육성의지에 따라 핀테크에 대한 금융회사들의 관심과 참여가 증대되고 있으며, 핀테크 산업 육성 전략 등 각종 지원책을 통해 핀테크 산업이 활성화될 것으로 기대된다.

분야	국내 현황
지급결제	• 카드사 및 PG 사 등의 간편 결제 서비스 출현
송금	• 금융회사를 통하지 않고 비금융회사의 플랫폼을 활용한 온라인송금서비스 출현
예금.대출	• 인터넷 전문은행 도입
투자 자금모집	• 투자형 크라우드 펀딩법안 국회 통과
자산관리	• 온라인 투자자문 등에 대한 제도적 제약은 없음 • 온라인 펀드슈퍼마켓 도입 완료
보험	• 개별 보험회사 홈페이지를 통한 온라인 보험 가입 • 온라인 보험 슈퍼마켓 도입
기타	• (빅데이터) 빅데이터 가이드라인 마련 및 통합신용정보집중기관 설립 • (보안·인증) 핀테크 보안업체 및 금융회사 간 제휴확대, 스마트 OTP 출시, 금융 보안원 설립 등

[표 11] 국내 핀테크 분야별 추진 현황[27]

27) Pixabay

국내는 신용카드사, 오픈 마켓, PG사가 각각 공인인증서가 적용되지 않는 소액결제에 대해 최근 간편 결제서비스를 제공해 왔으며, 금융당국의 공인인증서 사용 의무화 폐지와 간편 결제 도입을 위한 규제 완화 이후 카드사와 신용정보 보관이 가능해진 PG업체의 서비스 확대가 추진되고 있다.

구분	내용	비고
전자금융업자 (전금법)	전자화폐발행·관리	금산법 28①
	전자자금이체업무	금산법 28②
	직불전자지급수단의 발행·관리	금산법 28②
	선불전자지급수단의 발행·관리	금산법 28② (T-money)
	전자지급결제대행(Payment Gateway)	금산법 28②
	결제대금예치업(에스크로계좌)	시행령 §15③
	전자고지결제업	시행령 §15③
전자금융 보조업자 (전금법)	정보처리시스템으로 신용카드업자의 신용카드 승인 및 결제 그 밖의 자금정산	카드VAN社
	정보처리시스템으로 은행의 자금인출업무, 환업무 및 그 밖의 업무를 지원	은행VAN社
	전자금융업무와 관련된 정보처리시스템을 금융회사·전자금융업자를 위해 운영	정보시스템운영업체 (우리FIS)
	1호~3호 사업자와 제휴·위탁·외부주문에 관한 계약을 체결하고 정보처리시스템 운영	위 세 업체의 용역업체
은행법상 금융전산업 준용	금융회사 업무 관련 자료처리, 전송 프로그램 제공 및 관리	은행업감독규정시행세칙 §35ⅰ.
	금융회사 업무 관련 전산시스템 판매 또는 임대	은행업감독규정시행세칙 §35ⅱ.
	금융회사 업무 관련 자료 중계·처리하는 부가통신 업무	은행업감독규정시행세칙 §35ⅲ.
최근 新경향	(금융데이터 분석) 고객과 관련된 다양한 금융 데이터를 수집·분석	신용정보분석개발, 빅데이터개발
	(금융소프트웨어) 스마트 기술을 이용한 혁신적 금융 업무·서비스 관련 소프트웨어 제공	금융모바일앱, 인터넷뱅킹, 금융보안 등
	(금융플랫폼) 금융기관 개입 없이 자유롭게 금융거래 할 수 있는 거래기반 제공	회원제 증권정보제공업 등

[표 12] 핀테크 업무 범위

28)

28) 국내외 핀테크 관련 기술 및 정책동향 분석을 통한 연구분야 발굴, KISA, 2016.02.

핀테크에 대한 추진 방향, 사업 영역, 분류, 서비스 내역 등에 대한 해석이 이해관계 주체에 따라 다양하며 시장을 바라보는 시각도 다르다. 국내 금융환경의 특수성도 있지만 금융 기반의 핀테크, 기술기반의 핀테크, 보안 기반의 핀테크 등 정의도 다르다. 핀테크 기업이 접근하기에는 각종 규제, 보수적인 금융 환경, 금융기관 별로 적용하는 핀테크 기술 등이 다르기 때문에 어려운 문제도 있다.

공인인증서와 ActiveX 문제, 인증기술인 일회용비밀번호생성기(OTP, One Time Password) 등 일부 접근매체에 집중되어 있다 보니 단순 간편 결제 분야 위주로 발전하고 있다. 우리나라는 금융 분야에 대한 높은 규제 장벽으로 금융과 IT와의 융합이 느리게 진행되어 왔으나 최근 들어 IT업체의 금융업 진출에 위협을 느낀 국내 은행들이 ICT업체와 제휴를 본격화하는 양상을 보이고 있다.

다) 증권 산업

국내 금융투자업계는 타 금융권역과 비교해 2000년대 초반부터 IT기술을 빠르게 접목시켜왔다. 2000년 1월, 3월 이트레이드, 키움증권이 각각 온라인 전용 증권회사를 설립하는데 성공하여 온라인 증권거래비중을 큰 폭으로 끌어올렸다. 또한 2013년 온라인 전용 펀드판매회사인 펀드온라인코리아가 출범되어 온라인 자산관리 서비스를 제공하기 시작했다.

증권 산업에서는 10여 년 전부터 비교적 신속하게 IT와의 융합을 추진해 왔기 때문에 정부의 지원이 보장된다면 가장 빠르게 발전할 수 있는 영역이다. 그리고 기업으로써는 키움증권과 미래에셋증권이 이에 가장 근접해 있다. 인터넷전문은행-온라인 자산관리의 형태로 추구하는 방향은 조금 다르지만 궁극적으로 지향하는 비즈니스모델은 다양한 금융상품 제공을 바탕으로 하는 자산관리다.

4) 국내 핀테크 산업 추진현황 및 개선방향

최근, 정부의 적극적인 핀테크 육성의지에 따라 핀테크에 대한 금융회사들의 관심과 참여가 증대되고 있으며, 핀테크 산업 육성 전략 등 각종 지원책을 통해 핀테크 산업이 활성화될 것으로 기대된다. 기업은행은 홍채인식을 통한 비대면 인증을 추진하고, 우리은행은 집단지성을 이용한 사기방지 솔루션 개발 착수, BC 카드는 빅데이터와 인공지능을 활용해 소비자의 구매의사를 예측, 마케팅에 활용하는 시스템 개발 중이다.

가) 단계별 추진전략

우리나라는 핀테크 진입장벽을 완화하고 핀테크 생태계 조성단계와 현재 규제 패러다임 전환을 거쳐 Emergent Fintech 활성화 단계에 진입했다.

29)

[그림 12] 핀테크 산업 육성을 위한 단계별 추진전략

(1) 1단계 : 핀테크 산업 진입장벽 완화

핀테크 육성을 위한 정책방향을 마련하고, 핀테크 산업 진입의 장애요인의 기본적 보안관련 규제를 대폭 정비한다. IT·금융융합 지원방안을 발표, 매체 분리원칙 폐지, 보안프로그램 설치 의무 및 공인인증서 사용의무를 폐지한다.

(2) 2단계 : 핀테크 생태계 조성

1단계에서 진입한 핀테크 기업의 성공적 안착을 위해 핀테크 기업과 금융회사와 정부 간의 상호 소통·협력 채널을 구축한다. 핀테크 지원센터 운영, 지원협의체 출범, 핀테크 기업에 대한 자금지원 확대 등이 있다.

29) 핀테크 산업 활성화를 위한 단계별 추진전략과 향후 과제, 금융위원회, 2015.05.20.

(3) 3단계 : 핀테크 산업 성장을 위한 규제 패러다임 전환

창의·혁신을 저해하는 오프라인 위주 규제체계를 재정비하고, 실제 걸림돌이 되어왔던 절차적 보안규제를 철폐한다. 보안성 심의폐지 및 핀테크 기업 책임분담 허용, 모바일카드 발급 허용, 비대면 실명확인 허용, 핀테크 기업 출자활성화 등이 있다.

(4) 4단계 : Emergent Fintech 활성화

국민들이 체감하고 편익을 향유할 수 있는 각종 핀테크 서비스를 활성화하며, 핀테크 기업과 금융회사 간 협력체계를 강화한다. 인터넷 전문은행 도입방안, 빅데이터 활성화 기반, 투자형 크라우드 펀딩, 온라인 보험슈퍼마켓 도입 등이 있다.

나) 분야별 핀테크 세부 활성화 추진방안

분야	국내 현황
지급결제	• 카드사 및 PG 사 등의 간편 결제 서비스 출현
송금	• 금융회사를 통하지 않고 비금융회사의 플랫폼을 활용한 온라인송금서비스 출현
예금.대출	• 인터넷 전문은행 도입
투자 자금모집	• 투자형 크라우드 펀딩법안 국회 통과
자산관리	• 온라인 투자자문 등에 대한 제도적 제약은 없음 • 온라인 펀드슈퍼마켓 도입 완료
보험	• 개별 보험회사 홈페이지를 통한 온라인 보험 가입 • 온라인 보험 슈퍼마켓 도입
기타	• (빅데이터) 빅데이터 가이드라인 마련 및 통합신용정보집중기관 설립 • (보안·인증) 핀테크 보안업체 및 금융회사 간 제휴확대, 스마트 OTP 출시, 금융 보안원 설립 등

[표 13] 국내 핀테크 분야별 추진 현황[30]

30) 핀테크 국내외 산업 동향과 전망, S&T GPS, 2015.06.12.

다) 핀테크 산업 추진 실적[31)]

(1) 핀테크 생태계 조성

2015년 3월 30일 핀테크 기업과 금융회사 간 현장 접점 역할을 수행하며, 상호 연계를 지원할 핀테크 지원센터를 개소하였다. 상담내역으로는 금융회사 연계 25건, 사업성 검토 12건, 법률해석 5건, 자금지원 3건 등 총 54건이다. 제 1차 Demo-day에는 3개 핀테크 업체와 금융회사 간 1:1 멘토링 체결이 완료되었다. 2015년 4월 14일「핀테크 지원협의체」를 출범하여, 핀테크 기업·금융회사·정부 간 협력채널을 구축하고 핀테크 규제개선 과제를 발굴하였다. 이후 2016 핀테크 Demo Day 행사에서 금융위원회와 금융회사 전문 투자자들이 참석하며 7개의 유망 핀테크 기업의 기술과 서비스 시연이 있다. 바이오 인증, 모바일 기반 서비스 등 차세대 전자정부 인증 추진방향을 발표했고, 핀테크 서비스 개발 지원, 보안 컨설팅 등 핀테크 보안, 인증센터가 2016년 5월에 설립되었다.

참여기업	내용
페이콕	모바일 간편 결제 솔루션
파봇(FABOT)	인공지능 로봇 어드바이저 ETF 등을 분석하여 개인별 최적화 포트폴리오를 구성하는 어드바이저
KTB솔루션	통합 보안 인증 서비스 자체적 개발한 IP 역추적 체계를 기반으로 전자거래에서 이용가능한 수기 서명 본인 인증 시스템
디지워크	온라인 보안 인증 서비스 스마트폰 스캔으로 보이지 않는 코드를 인식
지앤넷	인공지능기반의 음성 인식 솔루션으로서 모바일 PC 등에서 텍스트, 음성을 이용하여 서비스 요청 시 인공지능으로 상담 채팅을 진행하는 인공지능 솔루션
패스키테크놀러지	통합 보안 인증 서비스 원터치결제, P2P 결제, 보안 로그인까지 지원하는 통합 보안 인증서비스
직컴퍼니	생활형 융복합 플랫폼 인테리어 업체를 대상으로 자재공급 및 시공 진행상황을 단계별로 관리하여 대금지급 결제를 지원하는 안심결제 서비스

[표 14] 핀테크 Demo Day 참가 7개 유망 기업

31) 핀테크 산업 활성화를 위한 단계별 추진전략과 향후 과제, 금융위원회, 2015.05.20.

(2) 핀테크 스타트업 지원

핀테크 산업 육성을 위해 핀테크 기업에 적극적 자금 지원을 실시하였다. 산업은행은 2015년 1월부터 5월까지 8개 핀테크 관련 기업에 약 540억 원의 시설 및 운영자금을 지원하였다. 기업은행은 2015년 3월부터 5월까지 50개 기업에 약 276억 원의 자금을 지원하였다. 신한금융그룹은 앞으로 5년간 직접 투자 규모를 250억원으로 확대하고 6000개 투자 유망기업 풀을 조성해 2조1000억원 규모의 혁신 정장 재원을 투입하기로 했다. 하나은행은 스타트업에 20억원을 직접투자했고 60억원의 간접투자를 했다. NH농협은행은 33개 기업에 200억원을 투자, 우리은행은 스타트업 협력 프로그램 '디노랩(디지털 이노베이션 랩)' 출범, KB금융그룹은 스타트업 육성프로그램 운영을 위한 'KB 이노베이션 허브(HUB) 파트너스'를 출범 하는 등 금융권의 스타트업 지원과 육성이 가속화 되고 있는 중이다.[32)]

32) '핀테크 밸리' 5대 금융이 키웠네, 조선일보 양○○기자, 2018

5) 핀테크 서비스 동향[33]

국내에서도 스마트폰을 이용한 간편결제가 현금과 신용카드에 이은 “제 3의 결제 수단”으로 빠르게 자리잡고 있다. 간편결제는 개인인증을 비롯한 복잡한 과정을 간소화하여 본인 명의의 은행계좌 또는 카드 정보를 입력해 놓고 4~6자리의 짧은 비밀번호나 지문 등 생체인식만으로 빠르게 결제할 수 있는 시스템이다.

공인인증서를 설치하거나 복잡한 인증 과정을 거쳐야 했던 기존의 결제시스템에 비해 편리하고 빠르기 때문에 젊은 층을 중심으로 간편결제는 빠른 속도로 퍼지고 있다.

여기에서 바로 대표적인 핀테크 서비스인 ‘모바일 페이’가 등장한다. 모바일 페이는 카드정보를 스마트폰에 입력하여 스마트폰으로 결제하는 수단으로, 국내에는 2015년 하반기 본격적으로 도입·활성화 되었다. 특히, 네이버와 카카오는 자사의 플랫폼을 활용한 서비스를 제공하면서 가입자 확보를 위해 치열한 경쟁중에 있다.

2015년 6월 네이버가 출시한 네이버 페이는 네이버에서 제공하는 핀테크의 일종으로, 은행계좌나 체크카드 또는 신용카드를 미리 등록해두고 등록한 결제 수단을 통해 결제하는 간편 서비스다. 네이버는 서비스 초기부터 네이버 웹툰, 네이버 뮤직 등 네이버의 다양한 서비스와 결합하여 이용자를 확대하고 있다. 네이버 아이디 하나로 11만여 온라인 가맹점에서 간편하게 결제할 수 있다는 장점도 있다.

카카오는 카카오드라이버 등 자사의 모든 서비스에 카카오페이를 도입한데 이어 카카오페이 청구서 서비스를 출시했다. 자동차세·주민세 등 지방세와 도시가스, 전기요금 등의 공과금을 카카오페이로 납부하고 관리할 수 있다. 이를 통해 일일이 기록해야 했던 청구서 관리를 한 군데서 할 수 있는데다 납부도 카카오페이를 통해 편하게 할 수 있다는 점이 장점이다. 카카오는 최근 자사 청구서 서비스에 ‘영수증’ 기능을 새로 추가했다. 별도 인증절차 없이 카카오페이 안에서 여러 카드사의 결제 영수증을 확인 할 수 있는 기능이다. 종이 영수증을 따로 보관하거나 카드사 홈페이지에 로그인 해 출력해야 했던 번거로움을 개선했다.

한편, 스마트폰에 이어 스마트워치 등 다양한 웨어러블 기기도 등장하여

33) 핀테크 시장 최근 동향과 시사점, 정해식, 정보콩신기술진흥센터, 2018.04.11

플라스틱 카드를 위협하고 있다. 스마트폰과 달리 몸에 착용하는 웨어러블 기기는 모바일 결제 등에 활용하기가 용이하다. 이 때문에 최근 출시되는 웨어러블 기기는 대부분 모바일 결제 기능이 탑재되어 있다.

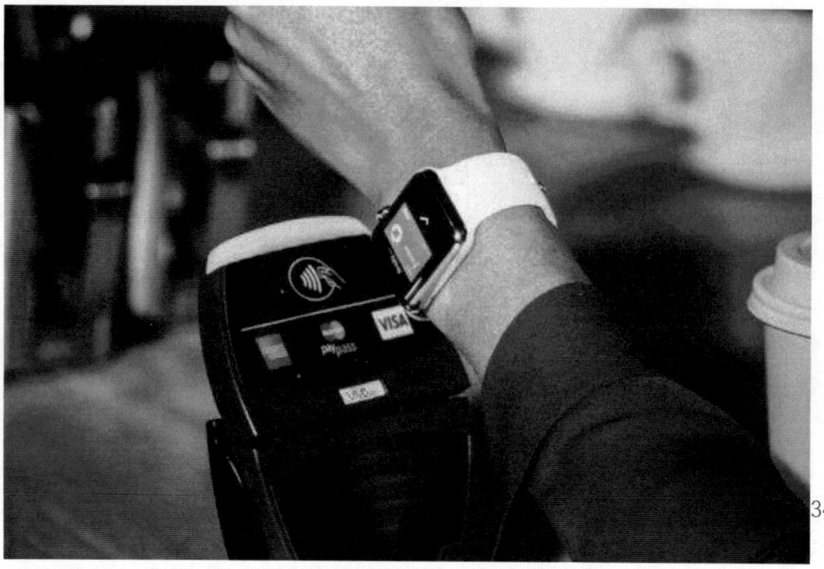

34)

[그림 13] 스마트워치 결제

이와 같이 플랫폼 ICT 기업들이 모바일 결제 시장에 적극적인 이유는 데이터를 수집하기 위한 목적이 저변에 깔려 있다. 모바일 기기를 통해 수집한 고객정보와 금융거래 패턴을 빅데이터로 분석하면 고객 특성에 맞는 온디맨드(On-demand)금융 서비스 제공에서 유리한 고지를 차지할 수 있기 때문이다.

이미 미국의 이베이, 아마존, 중국의 알리바바 등 플랫폼 기업들은 소비자의 구매이력 등 빅데이터 분석 결과를 바탕으로 다양한 마케팅을 전개하고 있다. 이용자 확산을 위해 기존 금융기관보다 수수료가 낮은 결제 서비스를 제공하고 있는 점이 특징이다.

은행산업에도 2017년 국내 제1호와 제2호 인터넷전문은행인 케이뱅크와 카카오뱅크가 영업을 개시하면서 변화의 바람이 불기 시작했다. 차별화된 지급결제 서비스, 빅데이터를 이용한 신용평가, 비대면 본인인증 등 사용자 경험 개선이 주요한 혁신 포인트로 주목 받고 있다.

인터넷을 주된 영업채널로 이용하는 비대면거래 전문은행의 특성상 ICT기술, 모바일 접근이 기반이기 때문에 신용평가에 필요한 빅데이터를 수집하

34) 손목 위 '페이' 전쟁 …망한 스마트워치도 살릴까, 최정호, 헤럴드경제, 2015.08.04

기에도 유리하다. 두 은행은 지점 방문이 필요 없는 간편한 계좌 개설과 자금 이체, 높은 예금금리와 낮은 대출금리, 저렴한 수수료, 편리한 서비스 등을 내세워 기존 시중은행으로 향하던 고객을 돌려세우고 있다.
스마트폰의 급속한 보급과 대규모 데이터의 집적·처리·전송에 힘입어 탄생한 인터넷 전문은행은 여수신과 지급결제 등 기존 은행 업무를 인터넷과 콜센터로만 제공하는 것이 특징이다. 스마트폰 등 모바일기기 사용에 친숙한 20~30대 젊은 세대뿐 아니라, 그 동안 제도권 금융 서비스를 이용해온 40~50대 층도 인터넷전문은행의 주 이용자가 되고 있다.

카카오뱅크의 경우 서비스 시작 1개월 만에 200만 명 이상의 가입자가 몰렸고 대출 규모만도 1조원을 넘는 파괴력을 보였다.

인터넷은행의 등장은 대출금리는 높게, 예·적금 금리는 가능한 낮게 유지하며, 그 차이인 예대마진으로 쉽게 수익을 거두어 왔던 기존 오프라인 시장 중심의 시중은행 영업 전략까지 변화시키고 있다.

예를들어, 시중은행들은 카카오뱅크 출범 이후 다양하지만 다소 복잡한 메뉴를 나열하던 스마트폰 뱅킹 어플리케이션 대신 간결하고 직관적인 화면으로 구성된 모바일 뱅킹 어플리케이션으로 변경하면서 모바일 플랫폼 변화를 꾀하고 있다. 또한, 공인인증서나 보안카드 사용도 줄이고 있는 추세이다.

해외송금 시장도 일대 변화가 진행 중이다. 카카오뱅크가 해외 송금 수수료를 기존 은행의 10분의 1인 최저 5,000원 수준(송금액 미화 5,000달러 이하, 건당)으로 낮추면서 경쟁이 시작되었다. 여기에 더해 최근 핀테크 스타트업들이 해외 송금업에 뛰어들면서 연간 10조 원 규모의 해외 송금시장을을 지키려는 은행과 핀테크 업계 간 경쟁이 치열해질 전망이다.

한편, 국내 인터넷전문은행들은 예금과 대출 중심의 비즈니스에서 더 나아가 모바일 결제 육성에 나서면서 앱투앱(App to App) 도입이 급진전되고 있다. 앱투앱은 현금이나 신용카드 등을 스마트폰 앱으로 대체할 수 있어, 그 파급력이 적지 않을 것으로 보인다. 항상 소지하는 스마트폰만 있다면 길거리에서도 현금 없이 결제가 가능하기 때문이다.

앱투앱의 사례는 중국에서 가장 많이 찾아볼 수 있다. 중국 노점상들이 이용하는 결제가 바로 앱투앱 결제인데, 앱투앱 결제는 단말기 설치 및 관리 비용이 없어지기 때문에 재래시장과 프리랜서, 방문판매 직원, 펜션 등 기존 신용카드 거래가 불가능했던 영역에서 활용할 수 있다.

신용카드는 '소비자 - 결제대행사 - 카드사 - 판매자'의 4단계를 거친다면 앱투앱은 중간 대행이 없어 수수료가 큰 폭으로 인하된다.

앱투앱 결제 방식은 계좌에 잔액이 있어야 하는 한계점으로 신용카드를 대체하기는 힘들다는 약점을 지니고 있다. 하지만, 만약 소비자가 물품을 구매할 때 긴급 소액 대출을 신청하는 경우 즉각 계좌로 돈이 입금되는 상품을 출시한다면 신용카드 시장까지 잠식할 수 있을 것으로 예상된다.

나. 해외

1) 해외 핀테크 동향

동서양을 막론하고 핀테크는 최대이슈로 부상하고 있다. 간편함과 저렴한 수수료를 발판삼아 IT기업들의 경쟁 역시 갈수록 치열해지고 있으며 대표적 기업으로 중국의 알리페이 (가입자12억), 미국의 애플페이 와 페이팔(가입자 4억 5000만명)과 같은 온라인 결제 기업들이 있다.

가) 주요 국가 핀테크 특징과 현황

국가	특징	주요내용
영국	핀테크에 대한 적극적 정부정책	• 글로벌 핀테크 기술과 시장 확대 선도 • 애플과 구글이 탄생된 실리콘밸리에서 핀테크 분야 투자 집중 • 세계 최대 금융가인 뉴욕도 핀테크 혁신과 투자 확대 • 전 세계 글로벌 핀테크 투자의 83%를 차지하고, 이 중 실리콘밸리가 32%를 차지 • 약 44,000명 핀테크 종사자
미국	기술혁신을 통한 세계 최대의 핀테크 시장형상	• 런던 동쪽 테크시트 조성(핀테크 메카) • 글로벌 금융센터의 위상 강화 • 대형은행 중심의 핀테크 산업 육성(투자, 제휴) • (New York)세계에서 두 번째로 큰 핀테크 허브 • (New York)5년간 CAGR 31%의 성장률을 기록 • (New York)Silicon Valley 대비 2배 빠른 성장 • (New York)핀테크 기업을 지원할 충분한 금융서비스가 최대 경쟁력 • (New York)약 43,00명 핀테크 종사자(Google, Facebook, Amazon, eBay 등) • (Silicon Valley)전 세계에서 핀테크가 가장 발전한 지역 • (Silicon Valley)기업가 정신, 연구(학계), 도전적 문학 등은 핀테크 성장의 키워드[35] • (Silicon Valley)약 11,000명 핀테크 종사자 • (Silicon Valley)장기적인 금융서비스가 약한 단점

[표 15] 주요 국가 핀테크 현황

국가	특징	주요내용
중국	거대한 모바일 시장으로 핀테크 수요 급증	• 모바일과 관련 애플리케이션 시장의 급성장 • 온라인 소비정책으로 모바일 소비 급속 확대 • 알리바바 등 글로벌 IT 출현(이커머스와 금융의 결합)
아일랜드	정부의 강한 핀테크 육성의지	• 세제혜택, 맞춤형 지원, 해외 인재 등용이 활발히 진행 중 • 엔젤 투자자와 Venture Capital 네트워크가 발달 • 높은 교육 수준과 연구 개발, 숙련된 젊은 노동력
독일	체계적인 교육시스템	• 재능을 지닌 젊은 인재 육성 • 양질의 비즈니스 환경 • 금융서비스가 다소 취약하고 정부 지원이 약한 단점 • 엔젤 투자자와 Venture Capital 네트워크가 취약(외국인 투자자에게 기회)
싱가폴	정부의 강한 지원	• 직접 투자, 세제 혜택, 적극적 홍보로 구성된 정부 지원 • 지정학적 위치, 도전정신, 법적요소, 발달된 금융서비스, ICT환경 • 엔젤 투자자와 Venture Capital 등 초창기 자금 지원이 다소 취약
홍콩	해외 기업가를 지원하는 정부 정책	• 비자 및 세금 구조가 상대적으로 취약 • 로컬 Venture Capital 자금력은 약하나, 외국 투자자의 참여가 확대 • 발전된 금융 및 ICR 기술력, 양질의 비즈니스 환경, 중국 진출의 출구
이스라엘	외국인 투자자 인센티브	• Yozma Fund: 이스라엘 정부와 민간이 합동으로 첨단기술 기업을 지원하기 위해 1993년 조성한 펀드 • 높은 교육 수준과 연구개발 • 300여 Venture Capital 회사가 활동

[36]

[표 16] 주요 국가 핀테크 현황

[37]

35) 국내외 핀테크 관련 기술 및 정책동향 분석을 통한 연구분야 발굴, KISA, 2016.02.
36) 국내외 핀테크 관련 기술 및 정책동향 분석을 통한 연구분야 발굴, KISA, 2016.02.

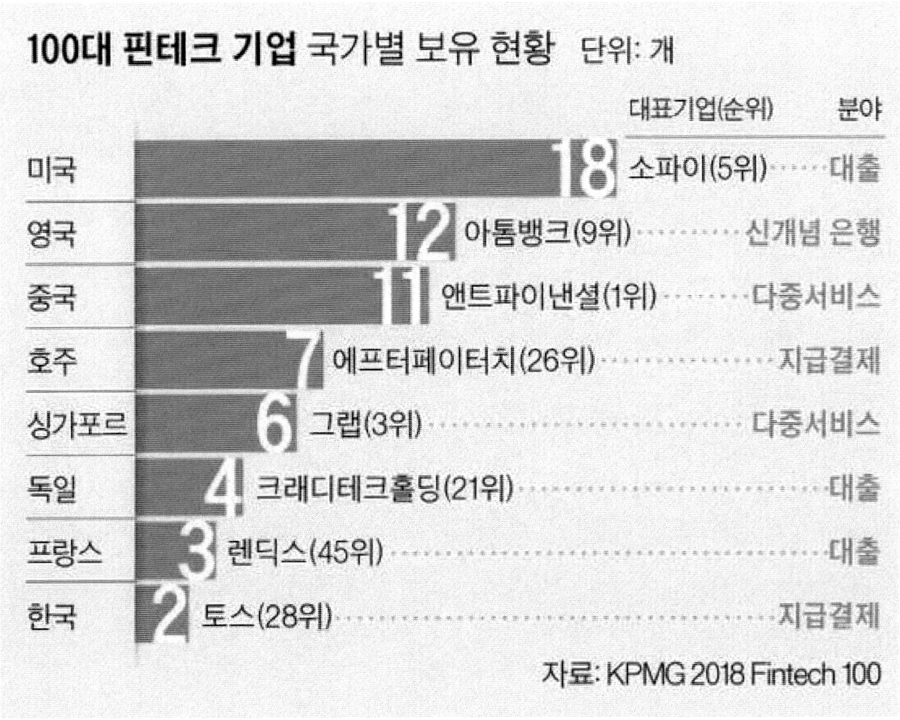

[그림 14] 100대 핀테크 기업 국가별 보유 현황

37) IDC

나) 영국

글로벌 금융위기 이후 금융과 IT와 융합으로 핀테크 발전 속도와 투자면에서 세계 최고를 달리고 있다. 영국 내 핀테크 산업 종사자는 76,500명으로 추산되며 2030년까지 105,500명으로 증가할 것으로 예상된다. 런던에만 1,800여 핀테크 기업이 활동 중이다. 핀테크를 통한 거래규모가 2008년 이후 매년 74%씩 성장하고 있다. 이는 세계 성장률 27%를 차지한다. 한 연구에 따르면 2019년 1~8월 영국 런던은 핀테크 부문에서 약2조5천82억원 규모의 투자를 유치한 것으로 나타났다.

영국 내 핀테크 산업은 거대 금융사의 지원을 배경으로 성장 중이다. 이러한 영국 핀테크 산업의 급속한 성장 배경에는 규제환경 변화가 가장 큰 요인으로 꼽히며, 정부의 적극적 지원에 따른 우수한 핀테크 생태계 구축이 핵심 동력으로 평가되고 있다. Barclays 의 Barclays Accelerator과 MasterCard, Lloyds Banking, Rabobank의 제휴인 pan-European accelerator가 있다. 급격히 성장한 핀테크 기업이 기존 금융기업 사업영역과 충돌하는 양상도 발생하고 있다.

영국은 런던 동부에 기술 클러스터인 테크시티(Tech City)를 조성하고, 핀테크 스타트법 육성을 위한 세제혜택 및 다양한 프로그램 운영하고 있다. 또한 핀테크 기업 지원 전담부서인 이노베이션허브(Innovation Hub)를 설립하여 핀테크 기업에 직접적인 지원을 제공하고 있다.

정부지원	정부 자금 지원	• UK Angel CoFund, Start-up Loan • Enterprise Capital Fund Program • UK Innovation inv. Fund, Future Fifty Program • UKTI(UK Trade and Investrment)
	비자, 이민정책	• Entrepreneur Visa : 2008년 도입
	세제 혜택	• Entrepreneur Felief Program : start-up 기업 투자 세금 감면 • (Seed) Enterprise inv. Scheme : 30~50% 세금 감면
	기타	• IPO 기준 완화(10% 지분으로도 IPO 가능, 일반 기업은 25%)

[표 17] 런던의 핀테크 역량 분석

38)

자금 조달 능력	초기 자본 조달이 쉬운 구조	• 크라우드펀딩 : $803 million 대출 • 금융기관의 금융서비스 제공
	미국에 이어 두 번째 빠른 성장	• $675 million 핀테크 투자
	아직은 핀테크 투자의 초기 모델	• 핀테크 투자규모가 아직은 작고, late-stage 자금 조달 미발달
ICT 기술 및 인재	높은 기술력과 인재 활용	• 76,500명의 핀테크 종사자 • 유럽의 40대 핀테크 기업 중 3/4이 런던에 소재 • 세계 10대 은행 중 4개 본사가 런던에 소재 • 135,000명의 금융-기술 전문가가 런던에 소재 • 24,000개 이상의 테크 기업이 48,000개의 직업을 제공
	기술 개발을 위한 산학 협력	• ICS Entrepreneur : 18~25세 젊은 창업자에 기술, 지식 지원 • Technical Baccalaureate : 교육부 2013년 도입 • 기술 개발 등 다양한 프로그램 제공 • 500,000 파운드 펀드 : Google, Microsoft 등 강의 지원 • Oxford, Cambridge, London School 등 산학협력
비즈니스 환경	전 세계 금융 중심지	
	ICT 기술개발	
	금융서비스 제공	• Santander : $100 million 핀테크 펀드 조성 • 영국 5대 금융기관 HSBV, First Direct, Nationwide, Santander, Metro Bank 등 Zapp(모바일 지급결제)와 제휴
	금융규제 샌드박스	• 핀테크 기업에게 혁신적인 신규 금융상품을 규제의 제약 없이 일정기간 동안 테스트해 볼 수 있는 기회 제공
	기타	• 핀테크 Week : 미니 컨퍼런스, 전시회 네트워킹 이벤트 • 핀테크 accelerator 증가 : Barclays accelerator, Lloyds Banking Group, Rabobank 등

[표 18] 런던의 핀테크 역량 분석

38) 국내외 핀테크 산업의 주요 이슈 및 시사점, 우리금융경영연구소, 2015.

다) 미국

미국은 2019년 거의 94억 달러의 핀테크 투자를 유치하며 여전히 세계 최대 핀테크 시장으로 꼽힌다. 2013년 기준, 세계 핀테크 스타트업 투자금 중 83%가 미국에 집중되어 있다. 한편 미국은 SNS 와 플랫폼 등 앞선 기술과 페이팔(Paypal)로 대표되는 결제시스템 운용 경험을 토대로 영향력 높은 서비스를 전 세계에 보급중이다. 그 중 가장 주목받고 있는 핀테크 서비스로 애플페이(Applepay)가 있다. 애플에서 출시한 지급결제서비스인 애플페이는 NFC(근거리 무선통신 방식)과 지문인식을 결합하여 편리성과 보안성을 동시에 충족한다. 보안성이 높은 것은 결제 시 단 한번 생성되는 보안 코드를 사용하기 때문이다. 다만, 애플페이의 결제시장 장악을 우려한 대형 유통사에서는 애플페이 결제를 거부하는 곳도 있다.

뉴욕의 핀테크산업은 대형 투자은행의 금융서비스가 지원되며 연 평균 31%의 고성장을 이루고 있고, 실리콘밸리의 핀테크산업은 주로 벤처캐피탈의 금융지원으로 세계에서 가장 큰 규모의 투자성과를 이루었다. 다만 핀테크산업의 life-cycle 상으로 보면, 실리콘밸리는 주로 태동기에 필요한 벤처캐피탈의 금융지원 역할이 큰 반면, 뉴욕은 태동기 이후 대형화를 도모하는 성장 후기의 금융서비스까지 지원되는 차이가 발견된다. 이 관점에서 보면 실리콘밸리는 장기적인 관점에서의 금융서비스가 다소 약하다.

그럼에도 불구하고 미국의 핀테크 산업이 발전할 수 있었던 이유는 미국의 규제 환경이 합리적이고 예측 가능했기 때문이다. 미국은 명확히 금지한 것 이외에는 모두 허용하는 네거티브(Negative) 규제 방식을 취하고 있으며, 비용편익 분석에 기반하여 비합리적인 교제를 지속적으로 정비함으로써 신생기업이 새로운 비즈니스 모델을 통해 사업을 시작하기에 용이하다. 대표적인 사례로 크라우드 펀딩을 허용하는 법률인 일병 'JOBS법(Jump-start Our Business Start-ups Act)'의 통화를 들 수 있다.

정부지원	정부 자금 지원	• Start-up America : 기업, 대학, 창업자, 재단 전문가 연계 • SSBCI(State Small Business Credit Initiative) • NY Fund : Seed($45m), State Fund($35m), Goldman Sachs($10m), Private Investment($450m)
	비자, 이민정책	• Start-up 비자 (2013.06.) : 아직 미제정 • Start-up을 지원하는 다양한 종류의 비자 및 이민정책
	세제 혜택	• ATRA(American Taxpayer Felief Act) 세금 우대 • Start-up NY : 10년 간 100% Tax free
	기타	• SBDCs(Small Business Development Centers)
자금 조달 능력	최근 5년간 CAGR 31%의 높은 핀테크 투자	• 풍부한 정부 금융지원 • 투자은행 등 대형 금융기관의 금융서비스
	다양한 자본 조달	• OnDeck : peer-to-peer 대출 플랫폼, $1 billion 규모의 대출 • LearnVest : 개인 금융 플랫폼, $28 million VC funding • Kick Starter: 크라우드 펀딩, $1.1 billion, 6.4 million 투자자 63,000개 프로젝트, $10 million VC fund
ICT 기술 및 인재	뉴욕 경제성장을 위한 프로그램	• 테크기술 개발의 경제적 효과 : 30년 간 $33.2 billion • 2014년 Cornell 과학기술 캠퍼스 설립(뉴욕시 부지와 $100 million 제공) • 2013년 Carnegie Melon 대학과 Sciences Program • 2012년 Columbia 대학과 과학기술 Institutes 설립
	글로벌 기업의 지원	• 2012년 Google 22,000sq 부지 기증(Cornell NYC Tech 캠퍼스) • Google, Facebook, Twitter, Amazon, eBay 등 글로벌 기업의 뉴욕 사무실 및 인력 확대
비즈니스 환경	선진 금융기관이 집중	• 실리콘 밸리보다 2배 빠른 핀테크 성장의 원동력 • Start-up 기업과 Accelerators들이 선호하는 환경을 제공
	고객 접근성	• 핵심기술을 지닌 창업가가 쉽게 고객에게 접근할 수 있는 환경
	글로벌 투자자 네트워크의 활용	

[표 19] 뉴욕의 핀테크 역량 분석

정부지원	정부 자금 지원	• 아이디어를 사업으로 이끄는 정부지원 펀드 활성화 • 정부, 민간, 학계가 연계된 펀딩 시스템은 ICT 발전의 원동력
	비자, 이민정책	• Start-up 비자 (2013.06.) : 아직 미제정 • Start-up을 지원하는 다양한 종류의 비자 및 이민정책
	세제 혜택	• ATRA(American Taxpayer Relief Act)세금우대 • 감가상각, R&D, 합병 등의 세제 혜택, 소형주 양도차익 면제
	기타	• SBDCs(Small Business Development Centers)
자금 조달 능력	장기적 관점의 금융서비스가 상대적으로 취약	• 금융기관과 연계된 핀테크 펀딩이 상대적으로 취약 • 그러나 강한 기술력으로 세계 최대의 핀테크 투자를 유도
	타지역 벤처 허브의 자금을 동원	• 40% 이상의 Venture Capital 딜, 50% 이상의 테크 Start-up 자금을 7개 주요 허브(뉴욕, 메사추세츠 등)에서 조달 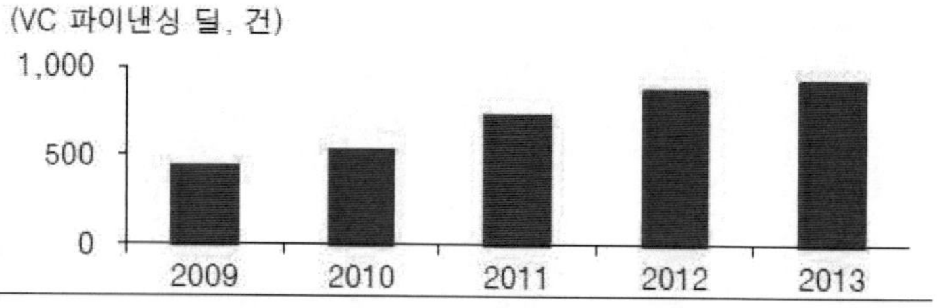
ICT 기술 및 인재	숙련된 전문가와 기술력	• 45% 이상이 석사 이상의 고학력 • 과학 기술 분야의 60% 이상이 대학 졸업자 • 학생의 인턴쉽 채용 활성화, 전문가 양성으로 연결
	강한 교육기관 네트워크	• 스탠포드, MIT, Yale 등 top tier 교육기관과 강한 연계 • 핀테크 Start-up에 요구되는 인재 양성 및 기술 지원
비즈니스 환경	테크 Start-up 허브의 글로벌 리더	• 첨단 기술과 숙련된 기술자가 집약 • 초부유층(HNWI)자산가 거주지역
	핀테크를 지원하는 글로벌 기업	• Apple, Cisco System, eBay, Google, HP 등
	발달된 Start-up ecosystem	• Investors, Accelerators, Incubators 등 • 투자자와 기업가의 시너지(금융지원, 기술 지원 등)
	도전적 기업가 정신	• 테크 혁신의 근간

[표 20] 실리콘 밸리의 핀테크 역량 분석

39)

39) 국내외 핀테크 산업의 주요 이슈 및 시사점, 우리금융경영연구소, 2015.

라) 중국

중국의 핀테크 산업은 시장성 증가와 우호적인 정부정책을 배경으로 ICT 플랫폼 사업자들이 점차 핀테크 사업자로 진화하면서 발전하였다. 중국의 모바일 인터넷 인구 7억 2400만 명, 전체 인터넷 이용인구 96.3%가 모바일인터넷에 접속한다. 2017년 모바일 결제시장은 2016년도의 세배인 5조 5000억달러로 중국 GDP의 절반에 가까운 수준으로 성장했다. 중국정부는 플랫폼 사업자에게 금융업 권한을 부여하여 핀테크 육성정책을 확대하는 추세이다. 중국 핀테크의 대표 주자로 꼽히는 업체는 알리바바가 있다.

2014년 9월 19일에는 미국 뉴욕증권거래소 상장하여 시가총액 242조 원을 기록하였다. 모바일 사용자 1.88억 명을 기반으로 한 다양한 핀테크 서비스를 출시하였다. 중국의 모바일 간편결제 2016년 거래액은 58조 8000억위안(9957조원)으로 1년 전보다 5배에 가까운 규모이다. MMF 등 개인 투자 부문으로도 사업 영역을 넓히고 있는 중이다.

(1) 중국 핀테크 관련 금융규제 변화 방향

① 온라인 지급 결제 영역 규제 변화

비금융회사의 지급결제 서비스에 대한 법률이 2010년 제정되어, 비금융회사도 온라인 결제, 선불카드, 은행카드 및 기타 지급결제 수단을 통한 결제가 가능해졌다.

② 온라인 대출 진입 장벽 완화와 예대금리 규제변화

비금융회사의 소액 대출 전문 금융회사 설립을 2008년에 허용하였고, 대출금리에 대한 이자율 하한 규제를 2012년에 완화했다.

③ 온라인 펀드 판매 영역의 규제 변화

증권사 또는 신탁회사가 아닌 금융회사가 펀드를 운용하는 자산 운용사를 소유할 수 있도록 증권투자기근법을 2013년에 수정했다. 이에따라 비금융회사의 온라인 펀드상품 판매가 가능해지는 등 사업 가능한 영역이 획기적으로 확대되었다.

④ 비금융사의 핀테크 온라인 은행업 진출 규제 변화

상하이 자유무역특구지역 내 온라인 민영은행 설립을 2013년에 허용했다. 또한 인터넷 전자상거래, 사회적 네트워크 서비스(SNS) 전문회사 등 비금융 회사의 무점포 온라인 전문은행 설립을 시범적으로 2014년에 허용했다.

마) 독일 베를린

정부지원	정부지원 취약	• 베를린은 정부의 핀테크 지원이 상대적으로 부진 • 베를린 주요 산업은 문화 예술에 집중 • Start-up 육성은 비주류 • Start-up을 위한 특별한 혜택 부재(자금지원 등)
	Start-up 육성을 위한 변화	• TSB(Technologiestiftung Berlin) : Start-up 네트워크(리서치, 정책권자, 기업 등)
자금 조달 능력	일부 분야의 Incubation	• 일부 분야에서 Incubation 프로그램 출현(제한적) • 핀테크 포럼 DACH : 독일, 오스트리아, 스위스 등 • 베를린을 Start-up 캠프로 만드는 움직임
	사례	• Betahaus: private incubator • Point 9 Capital: 유럽 신생기업에 투자
ICT 기술 및 인재	고학력, 기술력	• 165,000명의 학생 등 베를린은 교육의 중심 • 인재육성의 잠재력 • 저렴한 교육비
	과학 분야에 관심 낮음	• 과학 분야에 대한 학생들의 낮은 관심을 약점으로 지적 • 창업정신, 도전적 문화, 교육 취약
비즈니스 환경	핀테크가 출현하는 작은 변화가 시도	• 금융서비스가 약해 핀테크 발전에 약점 • 창업을 준비하는 기업가들이 증가하는 추세
	Accelerator and Incubator	• Axel Spinger's Plug & Play, Berlin Start-up Academy, The Factory • 2020년 까지 10만 여개의 새로운 일자리가 생길 전망 • 유럽 도시 대비 운영비용이 저렴한 장점 • Start-up 커뮤니티와 네트워크 성장 중

[표 21] 독일 베를린의 핀테크 역량 분석

40)

40) 국내외 핀테크 산업의 주요 이슈 및 시사점, 우리금융경영연구소, 2015.

바) 싱가폴

정부지원	정부 지원 자원	• Start-up, Incubation 지원펀드(Spring, i.Jam, MDA i.Jam) • 핀테크 등 신생기업 지원에 대한 강한 정부 정책 수행
	비자, 이민 정책	• 개방적 이민정책(비교적 쉬운 영주권) • Entrepass : 외국인기업가 visa, 미국/영국보다 유연
	세게 혜택	• Start-up 세금면제(3년간 100% 면제), Pioneer감면(15년) • 세계적으로 낮은 소득세율 및 법인세율
	기타	• Spring Program : 금융기관 innovation 유인
자금 조달 능력	풍부한 VS 자금력	• $1.71 billion VC fund(테크 Start-up) • 다양한 분야에 걸쳐 VC 자금이 모집, 집행 • 외국인 투자자들의 펀딩 수요가 높음 • 투자수익 실현은 주로 매각 또는 IPO를 통해 이루어짐 • 싱가폴 은행의 적극적인 펀딩: OCBC의무담보, 회계감사 없이 Start-up 기업에 자금지원
	취약점	• 벤처 life-cycle 전반에 걸친 펀딩부족. 많은 Start-up 기업들이 초기 펀딩 소진이후 실패하는 사례가 발생 • Start-up 소유주가 지분매각에 소극적, 경영권 집착이 강함
ICT 기술 및 인재	전문 인력 및 기술력	• 풍부한 금융서비스(DBS, OCBC, United Overseas Bank 등) • 싱가폴 인력의 5.5%가 금융업에 종사 • 146,700명의 전문가가 ICT 분야에 종사 • 거주자의 11.6%가 최근 3년 내 창업했거나 또는 창업을 준비
	기술개발	• NFIE(National Framework for Innovation and Enterprise) : 연구기술의 상업화를 지원 • 창업전문가과정(Nanyang Technological University) • SMU(Singapore Management University) : 74개 start-up 인큐베이팅, $3.1 million 규모의 펀딩

[표 22] 싱가폴의 핀테크 역량 분석

비즈니스 환경	**Start-up 기업에 적합한 환경**	• 강한 창업문화 • 높은 투자 잠재력과 투자 규제의 완화 • 준비된 기술력과 네트워크 인프라 • 교역에 적합한 지정학적 위치 • 공직자의 높은 청렴도
	핀테크에 적합한 금융과 ICT 산업 배치	• 글로벌 대형 금융기관의 headquarters가 고르게 분포 • 800여 기업이 SGX에 상장 • 63%의 모바일뱅킹 penetration, 높은 수준의 IT 소비 • 금융기관들의 적극적인 핀테크 기술개발 및 도입

[표 23] 싱가폴의 핀테크 역량 분석

41)

41) 국내외 핀테크 산업의 주요 이슈 및 시사점, 우리금융경영연구소, 2015.

사) 홍콩

정부지원	정부 자금 지원	• InvestHK, ITC: 펀딩 및 인큐베이터 • 핀테크 육성 프로그램 • ITF(Innovation and Technology Fund) : 2014년 2월까지 3,779개 • 프로젝트 승인(2,206개는 R&D 프로젝트) • R&D Cash Rebate Scheme
	Co-work and acceleration	• Cyberport : 협업커뮤니티 • 63개 프로젝트 펀딩, 29개 collaboration, 55개 showcase등
	Visa	• 6개월 소요 • $5,000 비용 부담
자금 조달 능력	Private VC funding	• HKVCA(Hong Kong VC and Private Equity Association) • 평균 VC 투자규모는 2014년 $6 million(2013년$4 million)
	외국인 투자	• US VC 기업 Sequoia Capital에서 Tom Group 및 투자처에 초기투자로 $14 million 펀딩
	핀테크 투자 초기	• 홍콩의 incubator NEST, 크라우드펀딩 FUND2ME 등
	초창기 취약	• 핀테크 투자 규모와 건수가 취약 • 크라우드펀딩이 주목받고 있으나, 기대에 못 미치는 상황
ICT 기술 및 인재	숙련된 인력	• 금융업 종사자 230,000명으로 홍콩 인력의 5.9% • 특히 은행 부문의 강점보유
	교육	• 창업 코스에 집중된 대학 교육 프로그램 • LIBBLER : 홍콩 Start-up 기업과 인력을 연결하는 플랫폼 운영

[표 24] 홍콩의 핀테크 역량 분석

비즈니스 환경	Google, Accenture 등 홍콩의 Start-up 기지로 활용	• Google: Chinese University of Hong Kong과 파트너쉽 • 젊은 창업가 지원, headquater 설립 • Accenture: 핀테크 innovation lab
	전략적 지역 특성	• 중국 진출의 Gateway • 아시아 네트워크의 중심
	비즈니스에 좋은 환경	• 은행 대출, 교육 등 • 발달된 커뮤니케이션 인프라 • IT 기술 발전

[표 25] 홍콩의 핀테크 역량 분석

42)

42) 국내외 핀테크 산업의 주요 이슈 및 시사점, 우리금융경영연구소, 2015.

아) 이스라엘

정부지원	정부 자금 지원	• Yozma Fund : 이스라엘에 VC 등 해외 자금의 투자를 유인. 'Two to one' 외국인 투자의 2배 만큼 이스라엘 정부가 공동 투자. 5년 후 정부 지분을 매입할 옵션도 부여 • Tnufa(트누파) : 초기 Start-up 기업에 $50,000 제공(정부85%, 창업자15% 부담). 기술개발, 마케팅, 시장조사 등 비용지원 • R&D Development Fund : Start-up 기업비용의 20~50%에 달하는 R&D 비용을 지원
	비자, 이민정책	• Start-up Visa 검토
자금 조달 능력	크라우드 펀딩	• 2014년 상반기준 $1.6 billion 규모의 high-tech 투자 (81% 성장)
	Venture Capital	• Tel Aviv 70개 Venture Capital 펀트가 조성 • 14개 인터내셔널 VC 사무소 활동 • 220개 인터내셔널 펀드 활동
ICT 기술 및 인재	교육 인프라	• Tel Aviv University, Technion 등 리서치 프로그램 • Tel Aviv University 이스라엘최대대학 • 130개 리서치institute, 400개 lab 30,000명 학생 • 국방과 연계된 과학기술개발(전 국민 병역의무)
	인구 구조	• 1/3이 18~35세의 생산력 높은 인구 • 인구10,000명당 135명이 과학기술자(미국은 85명) • 인구10,000명당 90명이 R&D 종사(미국, 일본의 2배)
비즈니스 환경	R&D, Innovation Lab	• 글로벌 금융기관의 이노베이션 센터 설립(시티은행 등) • Barclay's R&D 센터 설립 • 지역 금융기관들의 핀테크 투자기회 활용
	핀테크 투자 활성화	• Bank Hapoalim $23 million 핀테크 투자 계획
	Accelerator 프로그램	• Leumi와 Elevator(이스라엘 Satart-up 투자에 특화) • Junction : 이스라엘 VC 회사인 Genesis Partner가 설립

[표 26] 이스라엘 Tel Aviv의 핀테크 역량 분석

43)

43) 국내외 핀테크 산업의 주요 이슈 및 시사점, 우리금융경영연구소, 2015.

자) 인도[44)]

인도 정부는 부정부패 척결을 내세우며 2016년 11월 전격적으로 화폐개혁을 단행했으며 이후 현금없는 거래(Cashless)를 강조하며 디지털 거래를 적극적으로 장려하고 있다. 때문에, 인도 핀테크 산업은 핀테크의 지급결제 기능에 초점이 맞추어져 있다. 아직까지 인도는 거래의 70% 이상이 현금으로 이루어지고 있으며, 은행계좌를 가지고 있는 인구의 수가 많지 않아 금융 접근성이 떨어지기 때문이다.

인도 모바일 결제 산업규모는 2011년 8,600만 달러에서 고속 성장하며 2020년 8월 11억 달러에 이르렀다. 인도 정부는 금융소외계층 지원을 위해 강력한 제도를 갖추고 있는데, 예를 들어, 인도에서 영업 중인 은행은 총 대출금의 일정 금액 이상을 농민이나 소상공업자(MSME)에 대출해야 한다.

인도 소상공업자는 총GDP의 37%를 기여하고 있으며, 금융 인프라가 부족한 상황에서 소상공인의 대출 수요와 공급 간 격차는 2000억 달러에 이른다는 연구결과가 있다. 이들에게 대출을 제공하기 위한 대안대출(Alternative Lending) 시장이 주목받고 있다.

소비자 대면 솔루션(Consumer Facing Solution) 분야의 경우, 아직 금융소외계층이 많은 인도의 현실을 반영하여 발전이 미진한 상황이다.

은행기술(Banking Technology) 분야에는 2008년 이래 74개 기업이 활동하는 것으로 알려져 있으며 핀테크 분야에서 가장 빠르게 성장하는 분야 중의 하나다. 하지만, 상대적으로 보험 분야는 인도의 보험산업이 성숙되지 않았기 때문에 핀테크의 적용 또한 부진하다.

44) 고속성장 중인 인도 핀테크 시장, 임성식, KOTRA, 2018.06.16

지불방식	내용
Banking Cards	- 은행 카드는 소비자에게 다른 지불 방법보다 보안, 편의 및 제어 기능을 제공하며, 신용카드, 직불 카드 및 선불카드 등 다양한 종류의 카드는 사용의 유연성을 제공하고 있다. 이 카드는 보안 지불을(예: PIN 및 OTP) 위해 2단계의 인증을 제공하고 RuPay, Visa, MasterCard는 카드 지불 시스템의 대표적인 예로 볼 수 있다. - 지불 카드는 상점, 인터넷, 카탈로그 및 전화를 통해 상품을 쉽게 구매 가능할 수 있게 했고 고객과 판매자의 시간 및 비용을 절약할 수 있어 거래를 용이하게 했다.
USSD	- 혁신적인 지불 서비스 * 99 #는 비정형 부가 서비스 데이터(USSD ,Unstructured Supplementary Service Data) 채널에서 작한다. 이 서비스는 휴대전화를 사용하여 모바일 뱅킹 거래를 허용하기 때문에 모바일 뱅킹 사용을 위한 별도의 데이터 기능이 필요하지 않다. - 주류 금융서비스의 금융심화 및 언더뱅크(금융시스템이 선진화되지 않았지만 인구와 경제력 등 기회가 많은 저개발국가) 사회를 포함하여 구상된 것으로 * 99 # 서비스는 은행&통신서비스제공업체(TSPs,Telecom Service Providers)와 같은 다양한 파트너 에코시스템의 통합을 가져온 독특한 상호운용적 시스템이라고 볼 수 있다.
AEPS	- AEPS는 인도의 공식 전자신분증 체계인 아다르(Aadhaar) 인증을 사용하는 은행의 사업대리은행(BC, Business Correspondent) 및 뱅크미트라를 통해 판매시점 정보관리시스템(PoS,Point of Sale / Micro ATM)에서 온라인 상호 운용 금융 거래를 허용하는 은행 주도 모델이다. - 뱅크미트라(Bank Mitra) : 은행 지점을 개설 할 수없는 곳에서 은행 대리인으로 활동하는 개인으로 기본적으로 은행 대리인처럼 행동하며 계좌 개설에 모든 종류의 지원을 제공한다.
UPI	- 인도정부통합결제인터스페이스(UPI, Unified Payments Interface)는 여러 은행 계좌를 하나의 모바일 응용 프로그램 (참여 은행사)으로 통합하여 여러 은행 업무, 원활한 자금 경로 및 가맹점 지불을 단일 후드로 병합하는 시스템으로 '피어 투 피어 (Peer to Peer)'수집 요청을 처리하여 요구 사항과 편의에 따라 일정을 잡고 지불 할 수 있다. 각 은행은 Android, Windows 및 iOS 모바일 플랫폼 용 UPI 앱을 제공한다.

[표 27] 인도의 주요 디지털 거래방식

지불방식	내용
Mobile Wallets	- 모바일 지갑은 현금을 디지털 방식으로 전달하는 방법으로 모바일 장치의 신용 카드 또는 직불 카드 정보를 모바일 지갑 응용 프로그램에 연결하거나 온라인을 통해 모바일 지갑으로 송금 할 수 있다. - 실제 플라스틱 카드를 사용하는 대신 스마트 폰, 태블릿 또는 스마트 시계로 결제 가능하며 개인 계정에 연결하여 돈을 적립해야한다. 대부분의 은행은 모바일 지갑 앱을 운영하고 있고 기타 여러 모바일 지갑 애플리케이션 기업이 있다.
Point of Sale	- 판매시점 정보관리시스템(PoS)은 판매가 이루어지는 계산대처럼 거래를 진행하는 방식으로 카드 결제를 용이하게 하는 장점이 있다.
Internet Banking	- 모바일 뱅킹은 휴대 전화나 태블릿과 같은 모바일 장치를 사용해 원격으로 다양한 유형의 금융 거래를 수행 할 수 있으며 일반적으로 은행이나 금융 기관에서 제공하는 소프트웨어 (일반적으로 앱이라고 함)를 사용한다.
Micro ATMs	- 마이크로 플랫폼은 전국의 은행에 연결될 저비용 장치 (마이크로 ATM)를 통해 기능을 기능하게 한다. 이를 통해 특정 사업대리은행(BC)과 관련된 은행과 관계없이 즉시 입금과 인출 및 지불을 할 수 있음. 이 장치는 휴대 전화 연결을 기반으로 하며 모든 사업대리은행(BC)에게 제공될 것이다. - 고객은 신원을 인증받고 은행 계좌에 돈을 인출하거나 입금해야 하며 마이크로 ATM이 지원하는 기본 거래 유형은 입금, 출금, 계좌 이체 및 잔액 조회이다.

[표 28] 인도의 주요 디지털 거래방식

기업명	모회사	사업 분야	시장점유율 및 매출
Paytm	One97 Communications pvt ltd	전자 상거래, 디지털 결재	- 40% (2018. 2월) - Paytm의 모회사 매출은 81억 3880만 루피
MobiKwik	-	모바일 결제	- 5% (2017. 06월) - 2016-17 회계연도 3억 7300만 루피
BankBazaar.com	A&A Dukaan Financial Services Pvt. Ltd	온라인 대출, 보험	- (비공개) - 2017-18 회계연도 3분기 매출 전년동기비 168 % 증가
Lendingkart	-	소상공인 온라인 대출	- (불명) - Lendingkart는 10만 명 이상의 지원자와 45만 명의 등록된 사용자를 통해 2억 개의 데이터 포인트에서 데이터를 수집
Mswipe	-	모바일 지급결재 솔루션	- (비공개) - 2016-17 회계연도 매출 14억 1000만 루피. 전년동기비 140 % 증가

[표 29] 인도 핀테크 기업 현황

인도의 금융 인프라는 아직 열악한 상황이나 정부의 적극적인 금융 인프라 보급 정책으로 인해 지급결제를 중심으로 핀테크 산업은 매해 큰 폭으로 성장하고 있다. NASSCOM은 인도 핀테크 산업규모가 2016년 12억 달러에서 2020년 24억 달러로 두 배 가량 성장할 것으로 전망했으며, PWC(2017)는 인도의 핀테크 투자 예상 수익이 타 지역에 비해 높게 나타날 것으로 예상했다.

인도 정부는 주민등록제도(Aadhaar)를 전자금융망인 UPI에 통합, 연계하는 사업을 진행하고 있으며 주민등록정보를 기반으로 디지털 금융 인프라를 포괄적으로 구축한다는 것으로, 향후 소매금융의 디지털화와 활성화에 기여할 것으로 보인다.

2) 업종별 핀테크 사례

가) 은행업

IT기술 발전에 따른 환경변화로 인해 기회와 위협을 동시에 인지하고 해외 은행들은 온라인 및 모바일 강화를 위한 인터넷전문은행 설립 내지는 인수, SNS 활용을 통한 고객확대 전략을 추구해 왔다. 특히 개인금융부문에서는 비금융회사의 진출이 더 위협적일 수 있기 때문에 적극적인 대응에 나서고 있다. 또한 핀테크가 본격적으로 도입되기 시작한 2014년부터 해외 은행들은 핀테크 관련 기업을 직접 육성하기 위한 투자에도 적극적이다. 해외 주요 은행들은 핀테크에 대한 중요성을 이미 인지하고 관련기업에 대한 투자와 지원을 확대해가는 추세이다.

구분	내용
모바일.SNS 채널 활용	• (커먼웰스, 호주) 페이스북 뱅킹서비스(조회, 이체) 개시('13.3) • (RBC, 캐나다) 페이스북 메신저 기반 송금서비스 개시('13.12) • (찰스 슈압, 미국) 로보 어드바이저 서비스 개시('15)
온라인 경쟁력 강화 위한 M&A 추진	• (캐피탈원, 미국) 인터넷 전문은행 ING Direct(네덜란드) 인수('12) • (BBVA, 스페인) 인터넷 전문은행 Simple(미국) 인수('14.2) • (스베르, 러시아) 페이스북 뱅킹 도입한 데니즈은행(터키) 인수('12)

45)

[표 30] 해외은행들의 온라인, 모바일 경쟁력 강화 사례

국가	은행	육성방안
스페인	santander	• 2015년 7월 런던을 중심으로 핀테크 기업에 투자하는 1억 달러 규모의 펀드 조성
	BBVA	
영국	HSBC	• 2014년 5월 리테일뱅킹 부문 핀테크 기업에 투자하는 2억 달러 규모의 펀드 조성
	Barclays	
스위스	UBS	• 2014년 5월부터 유망 핀테크 기업을 선정하여 투자와 창업지원서비스를 제공하는 'Innovation Spaces'라는 워킹 그룹 운영 중
미국	Wells Fargo	• 2014년 8월부터 유망 핀테크 기업에 대해 업체당 최저 5만 달러에서 최고 50만 달러까지 투자하고 창업지원서비스를 제공해주는 핀테크 기업 육성 프로그램 운영 중
	Citi	

46)

[표 31] 해외 은행 핀테크 육성방안

45) 산업은행경제연구소, 교보증권 리서치센터

나) 보험 산업

보험 산업에서 핀테크는 주로 빅데이터를 활용하여 생명보험 계약 시 계약자가 작성한 청약서상의 고지의무 내용이나 건강진단 결과 등을 토대로 보험계약의 인수 여부를 판단하는 최종 심사 과정시간의 단축 및 간편화의 방향으로 발전하는 추세이다. 보험연구원에 따르면 핀테크, 특히 빅데이터를 활용한 보험 산업에 기대되는 변화 중 하나는 다양한 기초데이터를 확보하여 위험률 조정 등을 통해 적정보험료 산출하는 것이다. 또한, 스마트기기를 활용하여 온라인, 모바일 채널 등의 다양한 플랫폼을 통해 보험판매를 활성화할 수 있다. 보험금 지급심사 및 보험사고 조사 시 핀테크를 이용한 금융소프트웨어, 금융데이터 수집 및 분석 등을 통해 보험금 지급 관련 프로세스를 개선하기도 한다.

즉, 방대한 데이터를 활용하여 보험심사 시간을 줄이고 적정한 보험료 산출을 통한 손해율 개선이 가장 기대되는 영역이다. 해외에서는 빅데이터를 활용하여 운전자의 습관을 파악해 정교한 자동차보험료 산정에 이용하거나 손목밴드를 활용하여 고객의 건강정보를 수집, 생명보험료 산정에 이용하는 등 프로세스 개선에 활발히 이용하고 있는 추세다.

다) 인터넷 전문은행

미국에서 설립된 Charles Schwab Bank와 E*Trade Bank는 성공적인 인터넷 전문은행 모델이다. 각 은행은 온라인전용 증권회사에 의해 탄생한, 비은행 금융회사가 설립을 주도한 것이 특징적이다. 양 사는 증시 부진으로 인터넷 주식거래가 더 이상 새로운 수요를 창출하지 못한다는 판단에, 증권부문의 고객 감소에 따른 매출 감소를 만회하기 위해 은행서비스를 제공하기 시작했다. 주로 주택담보대출이나 전통적인 소매은행 업무위주로 시작하였으며 궁극적인 목표는 자산관리 중심 사업구조이다.

라) 온라인 자산관리

'자산관리'를 목표로 핀테크를 접목한 비즈니스모델이 존재한다. 알고리즘을 이용하여 투자자의 성향을 파악하고 이에 맞게 자산배분, 자동 리밸런싱, 주기적 보고, 단순자문 등을 제공한다. 24시간자문 서비스를 통해 접근성을 높였고 검증되고 정형화된 재테크 모델을 사용해 저비용 자산관리를 가능케 했다. 대표적인 기업은 Bank of America Merrill Lynch가 2010년 6월 개시

46) 국내외 핀테크 관련 기술 및 정책동향 분석을 통한 연구분야 발굴, KISA, 2016.02.

한 Merrill Edge와 Motif Investing이다.

Merrill Edge는 5만~25만 달러를 보유한 고객층을 주요 타켓으로 삼으며 자기 주도적 투자성향이 높은 고객을 대상으로 다양한 금융상품을 판매한다. 개인별 투자성향에 맞춘 일임서비스를 제공하며 고객 요청에 따라 24시간 자문서비스를 제공하고 있다. Motif Investing은 위탁매매에 핀테크를 접목시킨 회사다. 투자자들은 최대 30개 종목의 주식 또는 채권으로 이루어진 테마형 바스켓에 투자할 수 있고 개별종목의 가중치를 조정할 수 있다. 국내에서는 미래에셋증권이 이러한 비즈니스모델에 가장 근접해 있다.

마) IT/인터넷 서비스 업

최근 글로벌IT 서비스 업체들의 금융업 진출이 활발히 이루어지고 있다. 최대 IT 업체인 애플, 글로벌 SNS 업체 페이스북 등 세계 굴지의 기업들이 지급결제서비스부터 시작해 민영은행에까지 진출을 시도하고 있다. 일반적으로 IT/인터넷 서비스 업체의 경우 본업이 금융업과 다소 거리가 있어 불리하다 생각할 수 있지만, 사용자 기반 확보 부분에 있어 타 업종 대비 훨씬 유리한 위치에 서 있다. 실례로 페이스북의 가입자가 2020년 9월 기준 24억 9800만 명으로 어느 업종의 어느 업체보다도 넓은 유저 베이스를 보유하고 있다.

지금까지 IT/인터넷 서비스 업체들의 핀테크 산업 진출의 모습을 살펴보면 핀테크 산업을 통한 직접적인 수익창출보다는 본업과의 시너지 발생에 초점을 두고 있는 것으로 판단된다. 자사의 제품판매 증진을 위해서 혹은 기존고객들을 각인시켜 지속적인 서비스 사용을 유도하기 위해 핀테크 산업에 진출하고 있는 모습을 보이고 있다. 이러한 이유로 대다수의 업체들이 저렴한 수수료로 혹은 무료로 핀테크 관련 서비스를 제공한다.

애플의 경우 애플페이의 수수료로 카드사로부터 0.15% 수준에 해당하는 수수료만을 받고 있으며 알리페이 등의 대형 인터넷 업체들의 경우 무료로도 관련 서비스를 제공하고 있다. 세계 각지의 업체들 모두 관련 서비스 선점을 위해 활발히 진출하고 있으며 이러한 모습은 앞으로도 지속될 것이다. 모바일 트래픽이 급증함과 동시에 모바일 채널을 통한 금융거래가 급격히 증대되어 관련 산업이 발전할 수 있는 여건이 형성되고 있다. 해외 글로벌 ICT(Information & Communication Technology) 기업들은 자사 사이트 결제 수요 또는 모바일 네트워크 기반으로 다양한 형태의 송금、결제서비스를 제공하고 있다.

기업명	사업내용
스트라이프 (Stripe.com)	• 자사의 앱 프로그래밍 인터페이스를 앱에 삽입한 회원에게 글로벌 고객을 대상으로 한 지급결제와 7일 안에 대금을 지급해주는 서비스 제공 • 전 세계 139개국 통화와 비트코인, 알리페이 등으로도 결제 가능
어펌 (Affirm.com)	• 회원이 온라인 쇼핑몰에서 물건을 구매 할 때, 신용카드가 아닌 본인의 신용으로 할부 구매 할 수 있도록 해주는 결제 서비스 제공 • 회원의 공개된 데이터를 분석해 단 몇 초 만에 신용도를 평가한 후, 회원의 적정 할부 수수료를 산정하여 부과
빌가드 (Billguard.com)	• 자사가 개발한 예측 알고리즘을 활용하여 신용카드 청구서 상호청구 또는 수수료 과다 인출 등의 징후를 포착하여 회원에게 알려주는 서비스 제공 • 모바일앱으로 회원의 신용카드와 은행계좌를 통합 관리 가능
온덱 (OnDeck.com)	• 100% 온라인 기반으로 대출 신청서 제출에 10분, 신청 익일에 지정 계좌로 자금을 입금해주는 대출 서비스 제공 • 자체 개발한 신용평가 알고리즘이 대출 신청자의 금융기관 거래내용, 현금 흐름, SNS상 평판 등을 고려해 몇 분 만에 신용평가 및 대출 여부 심사

[표 32] IT/인터넷 서비스 핀테크 기업

47)

47) 우리금융경영연구소

Special Report

III. 핀테크 국내외 시장동향 및 향후 전망

3. 핀테크 국내외 시장동향 및 향후 전망

가. 국내

2019년 6월말 국내은행의 모바일뱅킹을 포함한 인터넷뱅킹에 등록한 고객 수는 1억 5262만 명으로 전년 말보다 4.1% 증가했다. 모바일뱅킹 등록 고객수는 1억 1289만 명으로 전년 말보다 7.8% 증가했으며, 이는 전체 인터넷뱅킹 등록 고객수 대비 73.9%에 달한다. 한편, 인터넷뱅킹 개인 및 법인 등록고객수는 각각 1억 4302만명, 960만명으로 전년말대비 4.1%, 4.6% 증가했다.

인터넷뱅킹 등록고객수[1)2)]

(천명, %)

	2017		2018		2019
	6월말	12월말	6월말	12월말	**6월말**
인터넷뱅킹	127,047	135,047	140,671	146,563	**152,624**
	(3.7)	(6.3)	(4.2)	(4.2)	**(4.1)**
(모바일뱅킹[3)])	80,296	89,738	97,829	104,763	**112,888**
	(2.5)	(11.8)	(9.0)	(7.1)	**(7.8)**
개인	118,859	126,593	131,880	137,385	**143,022**
	(3.6)	(6.5)	(4.2)	(4.2)	**(4.1)**
법인	8,188	8,453	8,791	9,177	**9,602**
	(5.2)	(3.2)	(4.0)	(4.4)	**(4.6)**

주 : 1) 기말 현재 18개 국내은행, 우체국예금 고객 기준(중복 합산)
2) ( )내는 전기말대비 증감률
3) 2017~2018년중 수치는 자료제출기관의 수정·보고사항을 반영하여 수정

[표 33] 인터넷 뱅킹 등록고객수

48)

48) 한국은행

인터넷뱅킹 서비스 이용실적[1]

(일평균 기준)

(천건, 십억원, %)

		2017		2018		2019	
		상반기	하반기	상반기	하반기	**상반기**	
이용건수	**인터넷뱅킹**	93,993	95,840	112,603	125,232	**147,164**	**(17.5)**
	모바일뱅킹[2]	58,031 <61.7>	59,287 <61.9>	70,448 <62.6>	78,730 <62.9>	**90,910** <61.8>	**(15.5)**
	조 회 서 비 스	85,891	87,249	102,776	114,293	**135,264**	**(18.3)**
	자금이체서비스	8,096	8,577	9,814	10,926	**11,884**	**(8.8)**
	대출신청서비스	5.8	14.5	12.5	12.4	**15.9**	**(28.5)**
이용금액	**인터넷뱅킹**	42,146.7	44,060.9	47,454.2	47,644.4	**47,755.0**	**(0.2)**
	모바일뱅킹[2]	3,710.5 <8.8>	4,387.5 <10.0>	5,231.8 <11.0>	5,453.4 <11.4>	**6,041.7** <12.7>	**(10.8)**
	자금이체서비스[3]	42,101.0	43,901.6	47,311.1	47,495.7	**47,563.8**	**(0.1)**
	대출신청서비스	45.6	159.3	143.1	148.8	**191.3**	**(28.6)**

주 : 1) ( )내는 전기대비 증감률
2) < >내는 전체 인터넷뱅킹 이용실적에서 모바일뱅킹 이용실적이 차지하는 비중
3) 2017~2018년 수치는 자료제출기관의 수정·보고사항을 반영하여 수정

[표 34]인터넷 뱅킹 서비스 이용실적

2019년 상반기중 인터넷뱅킹(모바일뱅킹 포함, 일평균)을 통한 조회·자금이체·대출신청서비스 이용 건수 및 금액(조회서비스제외)은 전년 하반기에 비해 각각 17.5%, 0.2% 증가했다.

모바일뱅킹의 이용실적(일평균)은 건수 및 금액 기준 각각 15.5%, 10.8% 증가했다.

전체 인터넷 뱅킹 이용실적 중 모바일뱅킹이 차지하는 비중은 건수 및 금액 기준으로 각각 61.8%, 12.7%이다.

국내 모바일 시장은 다양한 페이 서비스로 인해 경쟁이 심화되고 있는 상황이

다. 이에 따라 모바일 결제 시장 규모는 점차 성장하고 있다.

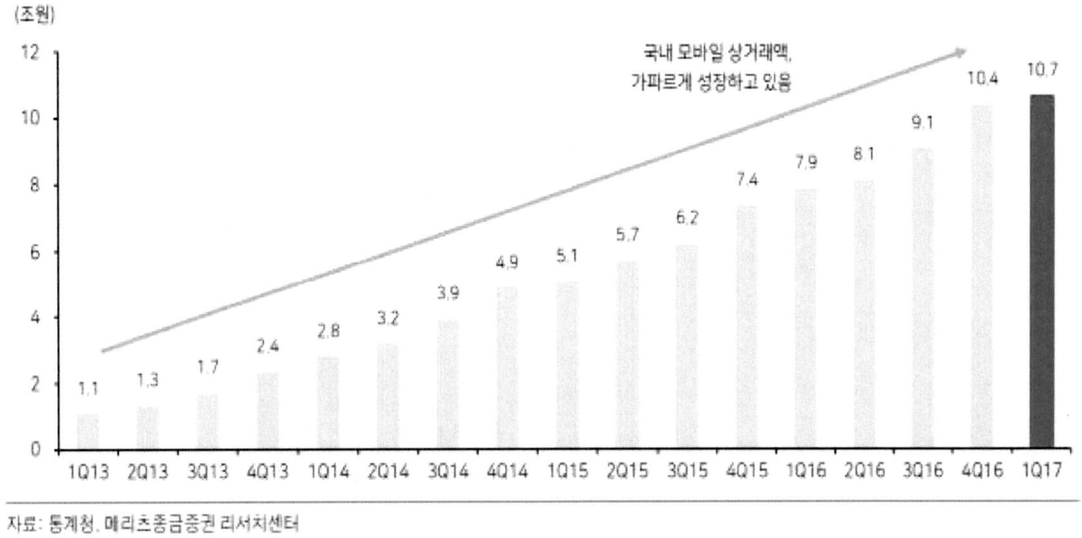

[그림 17] 글로벌/국내 모바일결제 시장 규모

49)

특히 핀테크 결제기술 중에서도 편리하게 사용될 NFC[50]의 경우 교통카드나 모바일 결제에 활용되고 있으나, 2017년 기준 이용 경험이 없는 소비자 비중이 74.2%로 대부분을 차지한다.

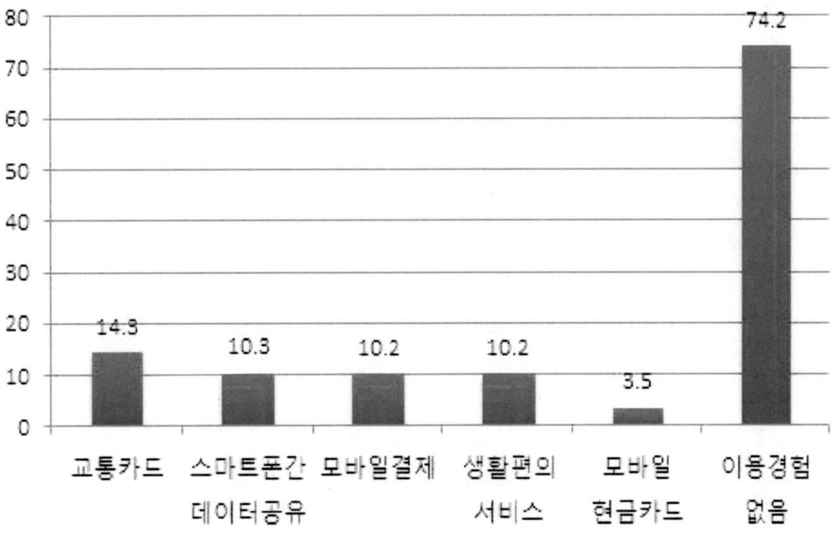

51)

[그림 18] 국내 NFC 서비스 이용 경험자(단위 : %)

49) 2017년 하반기 산업전망 시리즈 인터넷/게임, 메리츠종금증권
50) Near Field Communication, 비접촉식 근거리 무선통신 모듈로 10cm의 가까운 거리에서 단말기 간 데이터를 전송하는 기술
51) 방송통신위원회, 한국인터넷진흥원

국내 모바일 결제 및 전자지갑 서비스 이용 상황으로는 모바일 인터넷 쇼핑이 54%, 편의점과 슈퍼마켓은 41%, 대형마트와 백화점 32.5%, 대중교통은 32% 순으로 나타나고 있다.

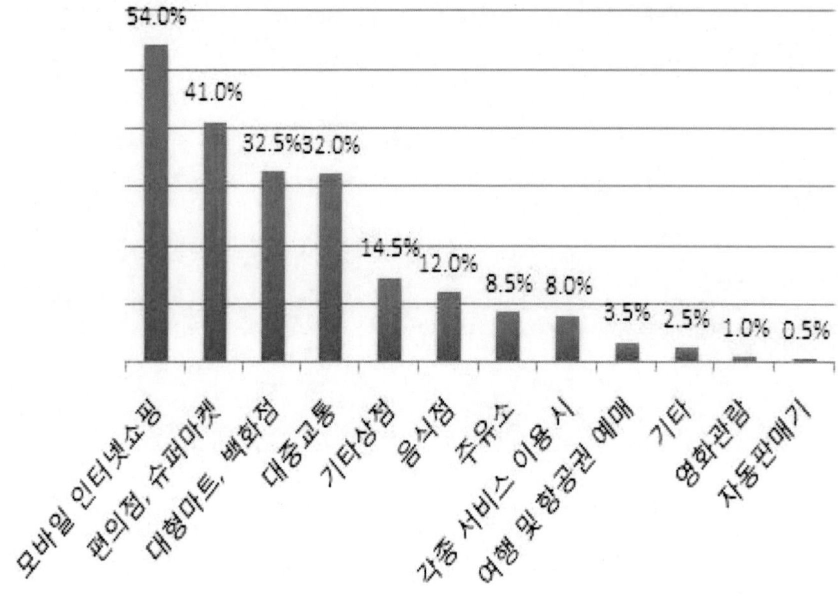

[그림 19] 국내 모바일 결제 및 전자지갑 서비스 이용 상황[52]

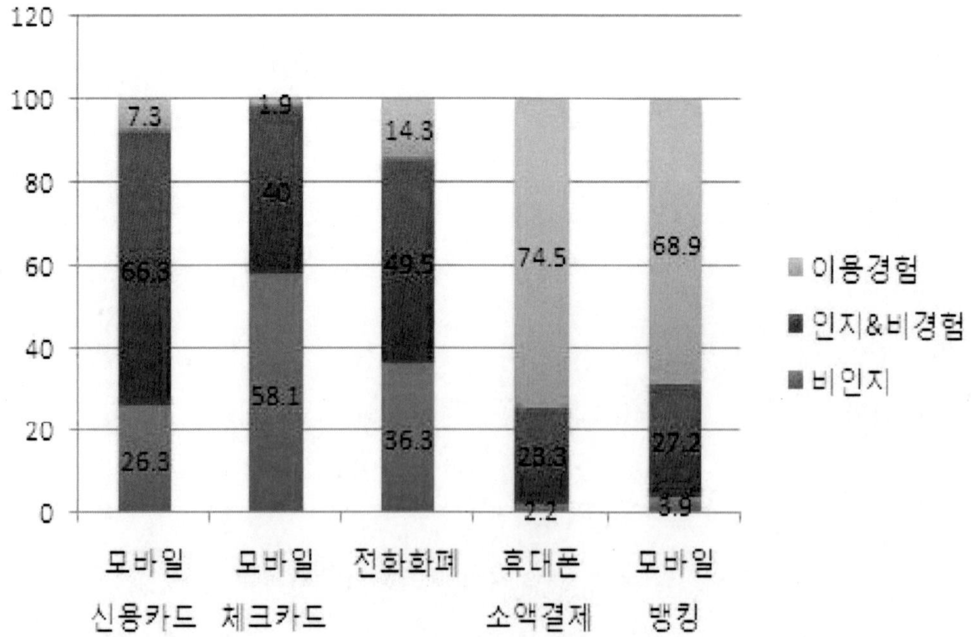

[53]

[그림 20] 국내 모바일 결제 서비스 고객 구조(단위 : %)

52) 방송통신위원회, 한국인터넷진흥원

금융업은 대표적인 망(network)산업이자 규제산업으로 당국의 엄격한 감독 하에 자격요건을 갖춘 은행 등 일부 금융회사에게만 허용되어 왔다. 금융 하부구조를 이루는 금융망에 대한 과잉투자를 막고, 안정성을 유지하기 위해 망에 대한 접근은 국가 차원에서 엄격하게 통제하였다. 따라서 금융업은 망을 기반으로 하는 자연독점적 산업의 성격을 지닌다. 그런데, 핀테크의 성장은 금융업의 자연독점적 성격을 변화시키고 금융업과 비금융업의 경계, 금융거래의 국가간 경계를 약화시킬 전망이다.[54]

기존 금융인프라를 우회하여 금융서비스를 제공함에 따라 금융회사와 비금융회사의 경계가 불분명해지고 금융업에 대한 규제의 관점도 변화하였다. 자금공여자와 자금수요자를 매칭 시키는 크라우드 펀딩, P2P 대출 등의 플랫폼은 은행의 예금, 대출 업무의 중요성을 약화시키고 기존 규제를 무력화하였다. 또한, 국경을 초월한 인터넷망을 통해서 금융서비스가 전달되면서 국가 간 경계도 약화될 것으로 예상된다.

국내에서도 금융업 규제 완화가 현실화되면서 산업의 성장 기반이 마련되었다. 전자금융업 허가를 위한 심사항목 수는 2014년 72개에서 2015년 32개로 감소하였다. 산업 수요 급증, 금융업 규제 완화 등에 힘입어 국내 핀테크 기업 수는 2016년 167개에서 2018년 303곳으로 136개가 증가했다.

정보통신기술(ICT) 기업을 중심으로 한 비금융기관의 금융업종 진입으로 기존 금융기업은 빠른 대응을 요구받고 있다. 기존 금융기관들이 확보해 온 고유 시장의 잠식으로 이어질 가능성이 크기 때문이다. 2015년 골드만삭스는 은행들이 대출을 통해 얻는 연간 수익의 7%인 약 110억 달러가 5~10년 후 온라인 대출 업체들에게 흡수될 것으로 전망했다. 10년 내에 핀테크 기업들의 침투가 전방위적으로 일어나면서 은행업은 중대한 위협에 직면할 수 있으며, 특히 고객과의 관계를 둘러싼 경쟁이 격화될 것으로 예상된다.[55]

2025년까지 핀테크에 의해 은행 수익 감소가 가장 심할 것으로 예상되는 분야는 소비자 금융으로, 매출의 약 40%, 수익의 약 60%가 감소할 수 있다. 또 혁신 속도가 가장 빠른 지급결제, 자동화와 중소기업 대출, 자산관리 등에서 10~35%의 매출 및 수익 감소가 전망된다. ICT 기업과 그동안 경험해보지 못한 경쟁을 하게 된 기존 금융사들은 핀테크 시대에 대한 대응방안 찾기에 골몰하고 있으며, 현재

53) DMC미디어
54) 핀테크의 부상과 금융업의 변화, 현대경제연구원, 2016.04.04.
55) 글로벌 뱅킹 연차보고서, 맥킨지, 2015

[그림 21] 핀테크 기업 현황

그 해법으로 거론되고 있는 것은 내부 역량 강화와 핀테크 기업에 대한 인수합병, 지분 투자, 파트너십, 육성 등을 통한 핀테크 역량 포용이다.56)

BBVA, 웰스파고, 바클레이즈 등 해외 주요 금융사들은 핀테크 기업 인수합병과 협력에 박차를 가하고 있다. 국내에서도 최근 신한 퓨처스랩, NH농협은행 핀테크 협력센터, KB 핀테크HUB센터 등 여러 은행이 테크 전담조직을 신설하고, 자체 육성 프로그램 마련 등 핀테크 기업과 협력하거나 육성하기 시작했다. 또 적극적으로 오픈API 정책에 나서는 은행이 나타나는 등 서서히 변화하는 모습을 보이고 있다.

급격한 성장세를 보이고 있는 해외 핀테크 산업과 달리 국내의 핀테크 산업은 답보수준에 머물러 있는 상태이다. 한국은 IT 인프라는 잘 갖추어져 있으나, 세계 100대 핀테크 기업 중 국내 기업은 2곳뿐이다.

국내 핀테크 시장이 부진한 이유는 여신전문금융업법 등 금융관련 법률은 금융업 진입 조건을 엄격하게 규정하고, 금융위원회와 금융감독원 등 여신 감독기관의 심사를 통과해야 금융업 허가가 가능하기 때문이다. 또한 대기업의 금융 진출에 따른 경제 불균형을 우려한 금산분리 원칙에 따른 금융규제로 핀테크 등 금융과 타 산업의 융합이 정체되어 있다.

56) Industrial Internet Issue Report, 한국인터넷진흥원, 2016.03.

하지만, 최근, 정부의 적극적인 핀테크 육성의지에 따라 핀테크에 대한 금융회사들의 관심과 참여가 증대되고 있으며, 핀테크 산업 육성 전략 등 각종 지원책을 통해 핀테크 산업이 활성화될 것으로 기대된다. 사례로서는 기업은행은 홍채인식을 통한 비대면 인증을 추진하고, 우리은행은 집단지성을 이용한 사기방지 솔루션 개발 착수, BC 카드는 빅데이터와 인공지능을 활용해 소비자의 구매의사를 예측, 마케팅에 활용하는 시스템을 개발하는 등 발전에 힘쓰고 있다.

하지만, 최근 금융위원회 조사에서 나타난 것처럼 핀테크 기업들이 새로운 보안 인증수단 도입에 대한 금융기관의 소극적 태도, 금융회사 내에 글로벌 핀테크 기술을 이해할 전문가가 부족하다는 점 등을 아쉬운 점으로 평가하는 등 아직 더 많은 변화가 필요하다는 지적이 나오고 있다.

나. 해외

금융과 정보·기술(IT)을 결합한 핀테크 산업에 대한 투자가 세계적으로 급증하고 있다.[57] 2015년 2분기 기준, 전체 온라인 거래의 28.7%가 모바일 디바이스에 의한 거래이며, 모바일 결제 중 50%이상이 iOS디바이스에 의한 결제이다.[58]

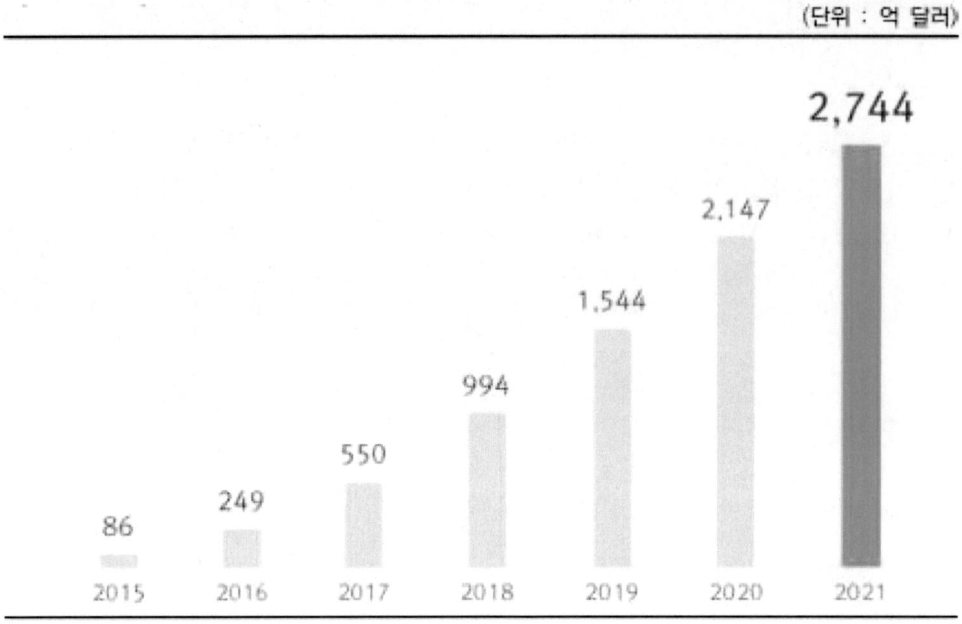

자료 : Statista

[그림 22] 모바일 결제 시장 규모 현황 및 전망

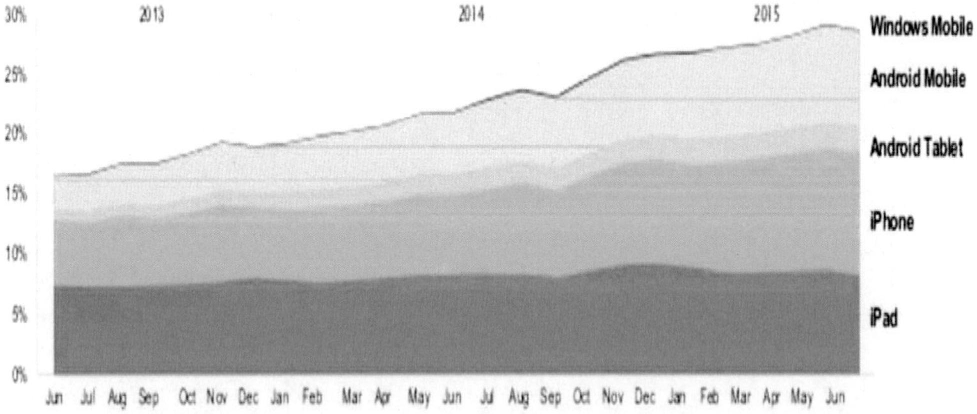

59)

[그림 23] Mobile Device 별 온라인 결제 점유 현황(단위 : %)

60)

57) 글로벌 핀테크 투자 급증…올해 240억 달러로 사상 최고치, 이투데이, 2016.09.08. http://www.etoday.co.kr/news/section/newsview.php?idxno=1381289

58) Adyen 글로벌 가맹점 기준

59) Adyen Mobile Payment Index July 2015, Adyen, 2015.07.

60) 정보통신산업진흥원, 2019.09

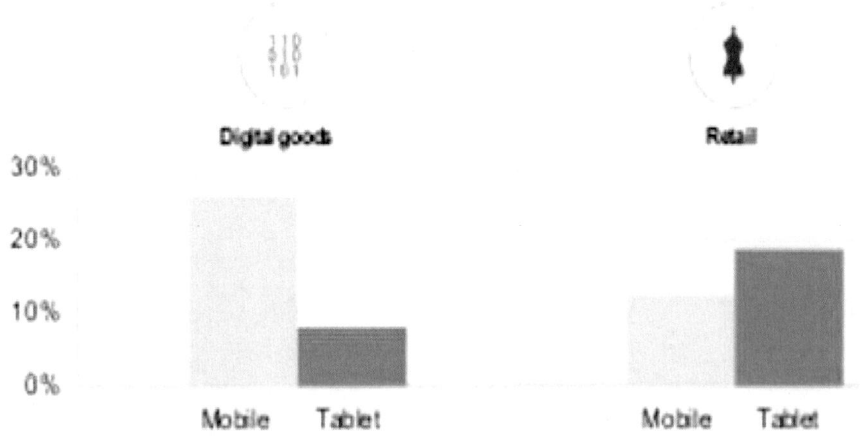

61)

[그림 24] 주요 산업에 대한 모바일 결제 비중(2015.04~06)

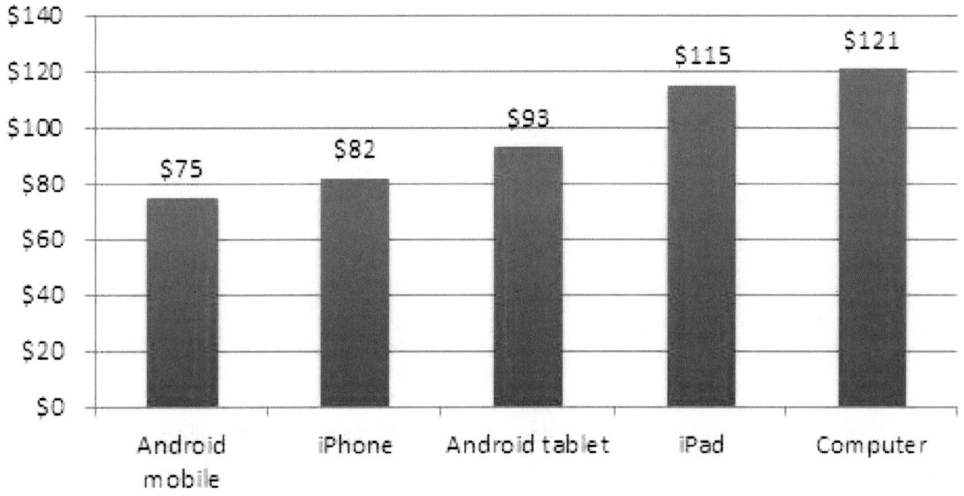

62)

[그림 25] Device별 건당 평균 결제금액(2015.04~06)

63)

64)

61) Adyen Mobile Payment Index July 2015, Adyen, 2015.07.
62) Adyen Mobile Payment Index July 2015, Adyen, 2015.07.
63) 기말 대출잔액 기준, 2015년은 2015년 6월 30일 기준, Lending Club, 2015.

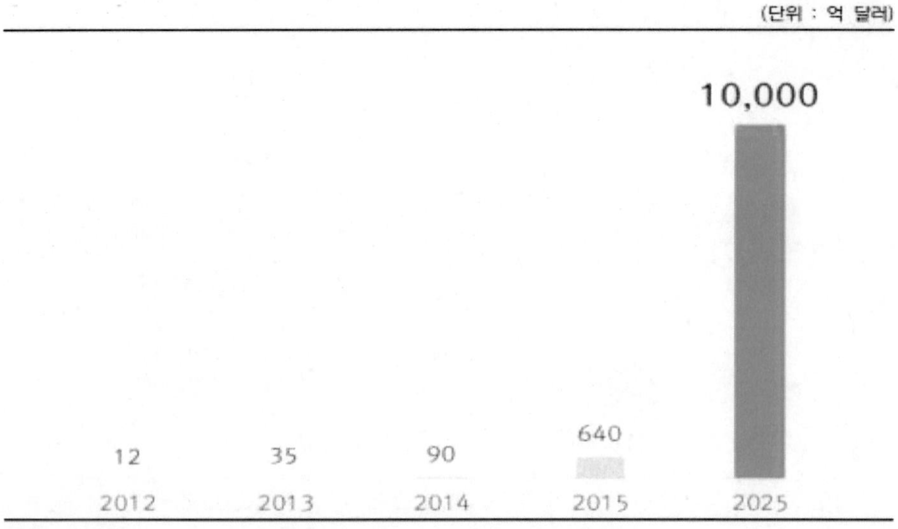

자료 : Statista

[그림 26] P2P 대출 시장 현황 및 전망

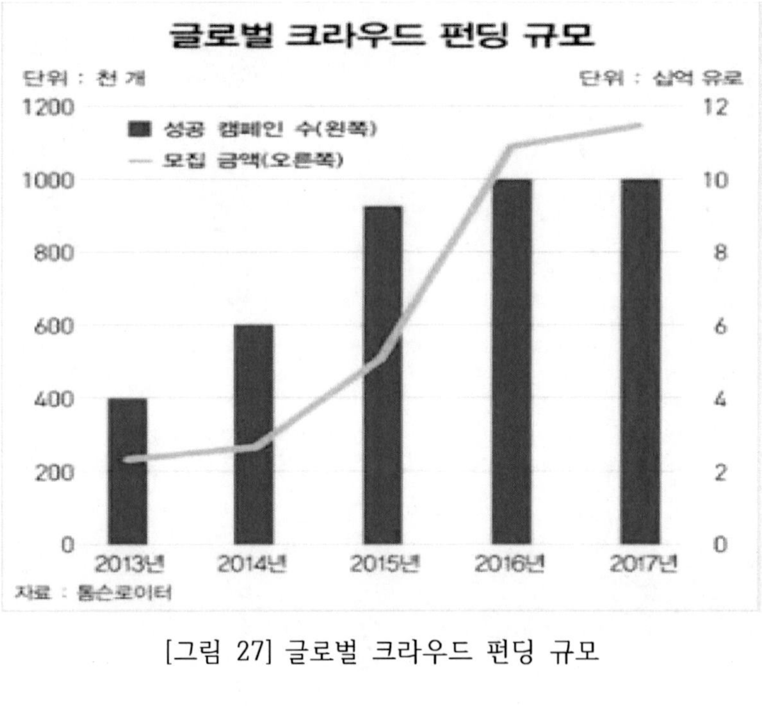

[그림 27] 글로벌 크라우드 펀딩 규모

크라우드펀딩 규모는 매년 100%이상의 높은 성장세를 보이고 있으며, 지역별로 북미, 아시아, 유럽 순이다. 또한, 가장 많은 펀딩 분야는 스타트업 자금조달이었으며, 그 뒤로 사회문제, 영화 및 공연 문화, 부동산, 음악 순이다.

64) Massolution, 2015

65)

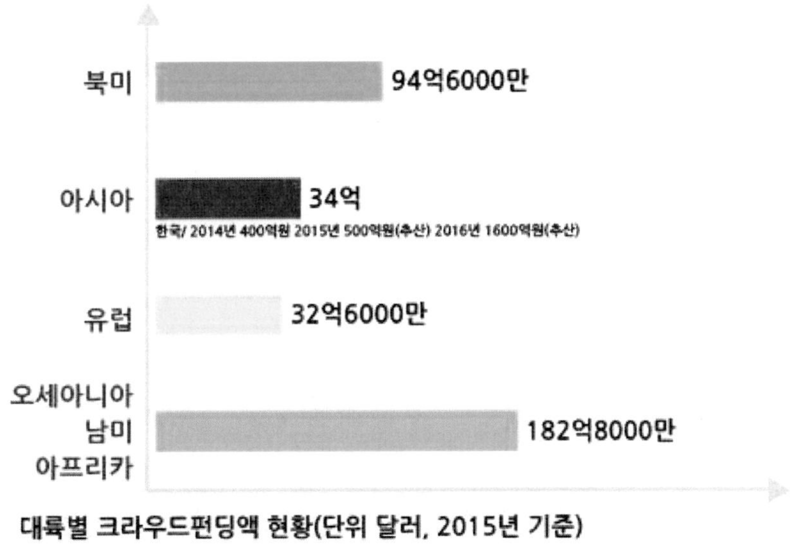

[그림 28] 2015년 대륙별 크라우드 펀딩 규모

세계 핀테크 산업은 금융산업이 발전되고 벤처 창업이 활발한 미국과 영국이 주도하고 있으며, 혁신적인 비즈니스 모델로 새로운 금융시장을 창조하고 있는 핀테크 기업들이 등장하고 있다.

세계 핀테크 투자규모는 2018년 기준 111억 8,000만 달러로 2013년 18억 9,000만 달러 대비 5배 이상 성장 했으며, 2013년 핀테크 기업 수는 미국 374개, 영국 57개로 파악된다.

2008년은 소비자에게 접근이 쉬운 지급결제 영역에 집중되었으나, 점차 금융 소프트웨어, 데이터분석, 플랫폼 영역으로 시장이 확대되면서 다양한 영역으로 글로벌 핀테크 산업이 발전 되고 있다.

2008년에는 지급결제 부문에 대한 투자 비중이 70%로 가장 높았으나 2013년에는 28%로 축소되었다. 금융 소프트웨어 부문에 대한 투자 비중은 2008년 10%에서 2013년 29%로 증가하였으며, 금융데이터 분석 부문의 비중도 같은 기간 16%에서 29%로 증가했다. 플랫폼 부문에 대한 투자 비중은 2008년 5%에 불과하였으나 2013년에는 14%로 빠르게 증가하는 추세이다.[66]

65) Massolution, 2015
66) 핀테크(Fintech) 시장 동향, 연구성과실용화진흥원, 2016.12
67) 글로벌 핀테크 10대 트렌드 및 시사점, 금융감독원, 2019

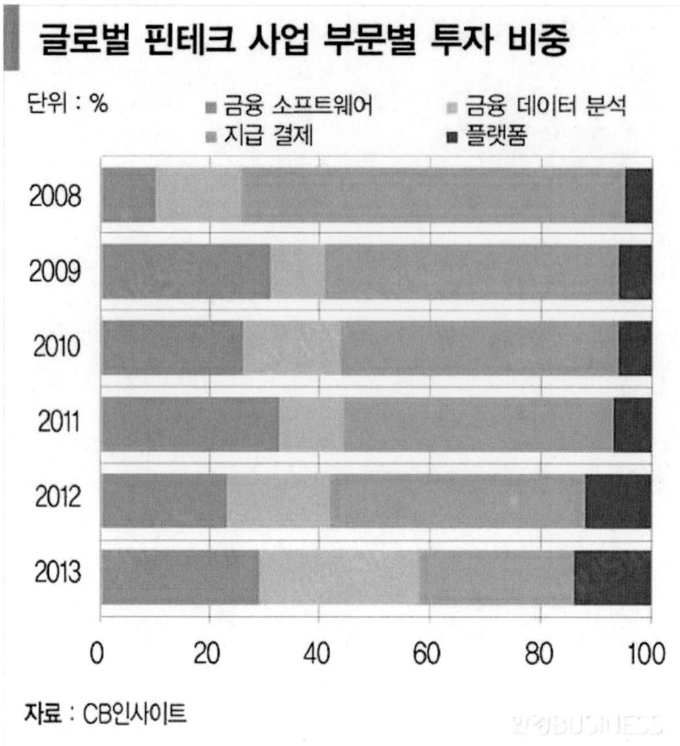

[그림 29] 글로벌 핀테크 사업 부문별 투자 비중

시장조사기관 Frost&Sullivan의 보고에 의하면 APAC(아시아태평양) 지역의 핀테크 산업은 2016년과 2017년에 빠른 성장을 이루어 2020년까지 연간 성장률 72.5%를 기록하고, 2020년 핀테크 시장 규모는 719억 달러에 다다를 것으로 전망된다.

또한 Statista는 전세계 핀테크 시장 거래 금액이 2016-2020년 연간성장률 20.9%로 성장하여 2020년에는 5조 330억달러 규모까지 증가할 것이고, 핀테크를 통한 개인금융과 중소기업금융 사용자도 지속적으로 증가할 것으로 예상했다.

핀테크 기술 및 서비스 영역이 결제를 포함해 기존 금융서비스의 핵심 영역인 소비자금융, 기업금융, 가상화폐 등으로 확장하고 있어 이 분야에서 소비자 중심의 혁신적인 서비스 출현이 예상되는 상황이다.

핀테크 산업은 결제 및 송금, 인터넷 은행, 금융 관리, 환전 및 금융거래, 보험,

(단위 : 백만 달러)

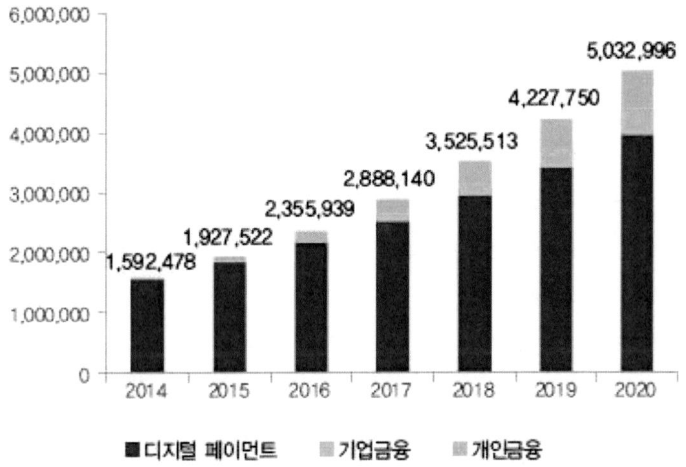

출처 : Statista(2015.12)

[그림 30] 글로벌 핀테크 거래 금액

대출 및 투자 등의 핀테크 서비스를 제공하는 사업자들이 시장을 형성하고 있다. 각 사업자들은 다양한 기술 및 특화된 서비스 분야를 포함하고 있으며 이를 통해 각각의 독립된 사업 영역을 확보할 것으로 전망된다.67)

(단위 : 백만 명)

출처 : Statista(2015.12)

[그림 31] 글로벌 핀테크 이용 잠재 고객 수

67) 협업 타고 진화하는 핀테크 2.0...2020년 5조 달러 규모 전망, 김혜숙, hellot, 2017.03.08

1) 국가별 시장 동향

가) 일본[68)]

일본은 인터넷 보급으로 전자상거래 시장이 급성장하면서 온라인 결제에 대한 수요가 증가해, 핀테크 기술과 시장이 급속도로 발전하고 있다. 2007년 스마트폰 보급으로 모바일 기술 발달에 따른 온라인 결제 활성화를 이루었으며, 전자상거래의 모바일 지급 결제에서 점차적으로 송금, 크라우딩 펀딩, 맞춤형 보험, 금융투자(로보어드바이저[69)])까지 범위가 확대되고 있다.

일본 정부는 '미래투자전략 2017'을 발표해 4차 산업혁명에 대응하는 Society 5.0 실현 전략[70)]을 발표(2017년 6월, 내각), 핀테크 분야 집중 지원 정책을 수립하기도 했다.

노무라종합연구소에 따르면 본 핀테크시장은 스마트결제 기준으로 2015년 60조 2000억 엔에서 2023년 114조 엔으로 성장할 것으로 전망된다. 한편 야노경제연구소는 핀테크 관련 벤처기업의 매출액이 2015년 33억 엔에서 2020년 567억 엔으로 급성장할 것으로 예측된다.

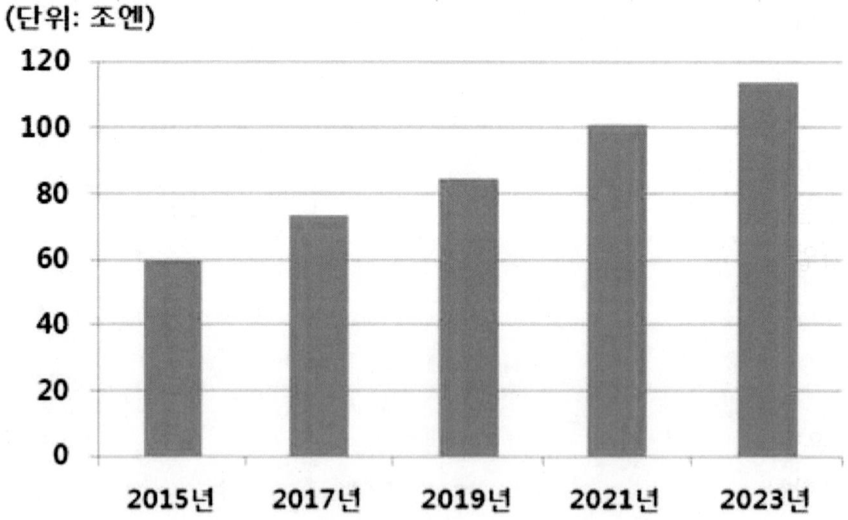

71)

[그림 32] 일본 국내 핀테크 시장 규모

68) [유망] 일본 핀테크 시장동향, 이세경, KOTRA, 2018.01.08
69) 로보어드바이저(Robo + Advisor): 빅데이터, AI를 활용한 금융 투자 자문 솔루션
70) ① 의료·개호·건강, ② 이동혁명 실현(자동주행, 드론 등), ③ IoT에 따른 유통혁명, ④ 쾌적한 사회인프라, ⑤ 핀테크
71) 스마트 결제(전자화폐, 선불카드, 직불카드, 신용카드 등)분야에 한정/ 자료원: IT네비게이터 2018년, 노무라종합연구소

핀테크는 기본적으로 솔루션 및 기술이기에 수입이라는 단어로의 정의는 어렵지만, VC 등의 투자를 통해 일본 시장에 진출하는 해외 기업들이 존재한다. 한국 기업들 역시 일본 핀테크 시장에 진출하고 있으며 AI·블록체인 등 사업부를 보유한 종합 핀테크 기업인 데일리금융그룹, 모바일 결제시스템 등을 보유한 한국 NFC사 등이 일본에 진출하기도 했다.

지금까지 일본 핀테크 분야에서는 '크라우드형 회계 소프트웨어'와 'P2P대출(융자)[72]'이 시장을 견인하고 있다. 크라우드형 회계 소프트웨어는 기존의 인스톨형 회계소프트웨어 도입기업 중 중소기업을 중심으로 크라우드화가 서서히 진행될 것으로 보인다. P2P 대출은 2021년 일본의 부동산시장이 활성화를 보일 것을 감안하면 은행융자가 어려운 부동산 개발 단계에서 활용할 수 있어 성장이 기대되고 있다. 블록체인을 다양한 산업에서 활용하려는 움직임도 보인다. 블록체인은 이용자 간을 연결하는 P2P네트워크상의 컴퓨터를 활용해 권리이동거래 등을 기록, 인증하는 시스템으로 현재 일본에서도 많은 실증실험이 진행되고 있으며, 판매 대리점망의 구축 역시 서서히 시작되고 있다.

우선, 기업의 IT 관련 부서를 중심으로 블록체인을 활용한 시스템 도입이 진행될 것으로 보이며, 2017년 이후 '블록체인'을 활용한 시스템의 채용이 중소기업을 중심으로 확산될 것으로 판단된다. 금융기관의 도입은 미국의 R3사의 글로벌 블록체인 컨소시엄 관련 동향 등이 영향을 미치기 때문에 보급까지는 어느 정도의 시간이 필요할 것으로 전망된다.

핀테크 기업을 해외에서 유치하기 위해 '미쓰비시도쿄UFJ은행'과 '야마토홀딩스' 등의 금융업계의 펀드 설립 운영 및 'NEC' 등 주요 대기업들이 핀테크 사업개발실을 신설하고 있다. 'NEC'는 IT를 활용해 새로운 금융서비스를 창출하는 핀테크 관련 사업을 추진하는 조직으로 2016년 4월 '핀테크 사업개발실'을 신설했다. '덴츠'사는 자회사인 'FINOLAB'을 통해 핀테크 인큐베이션 시설을 운영하며 해외 스타트업 기업과의 각종 협력 사업을 추진 중이다.

일본 은행의 마이너스 금리 정책에 따른 금리 부담으로 일본 은행들이 금융과 IT를 융합한 핀테크 전략에 속도를 내는 중이다. '미즈호은행'은 2016년 4월부터 스마트폰용 앱 '미즈호 다이렉트 앱'에 예금계좌의 입출금 기록을 평생 체크할 수 있도록 하는 기능을 확충했다. 타 은행 계좌까지 모두 관리할 수 있도록 통합 기능을 마련한다는 방침이다. 오릭스와 시즈오카은행은 가상화폐 '비트코인' 등에 사용되는 신기술 '블록체인'에 대해 공동 연구에 돌입하기로 결정했다.

72) 일종의 크라우드 펀딩으로, 금융기관을 거치지 않고 온라인 플랫폼을 통해 개인끼리 자금을 빌려주고 돌려받는 새로운 대출 서비스

블록체인은 아직 완전한 기술이 아니고 보안 문제, 처리속도 문제 등 한계점도 드러나고 있지만, 일본 정부 및 기업은 블록체인의 성장 가능성을 염두에 두고 블록체인을 각 산업에 활용하려 하고 있다. 유독 현금 거래비중이 높은 일본은 블록체인과 근거리 무선통신기술(NFC)을 적용, 안정성과 신뢰성이 확보된 금융결제방식이 도입되면 현금 거래비중을 낮추는 데 기여할 수 있을 것으로 보는 중이다. 아울러 관련 핀테크 산업의 성장도 예상되는 바이다.

나) 말레이시아[73]

2017년 기준 말레이시아 핀테크 시장규모는 47억500만 달러 규모로 나타났다. 말레이시아 핀테크시장은 아직 초기 단계이나 급속도로 성장하고 있으며, 정부도 핀테크산업 육성에 관심을 집중하고 있다.

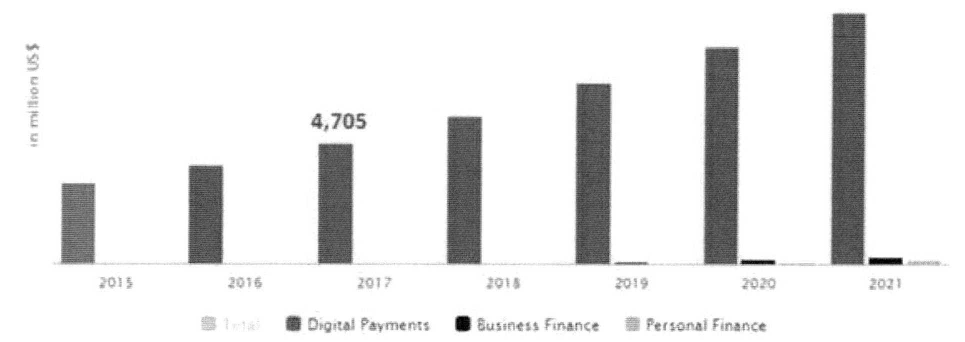

74)

[그림 33] 말레이시아 핀테크 시장 규모 (단위: 백만 달러)

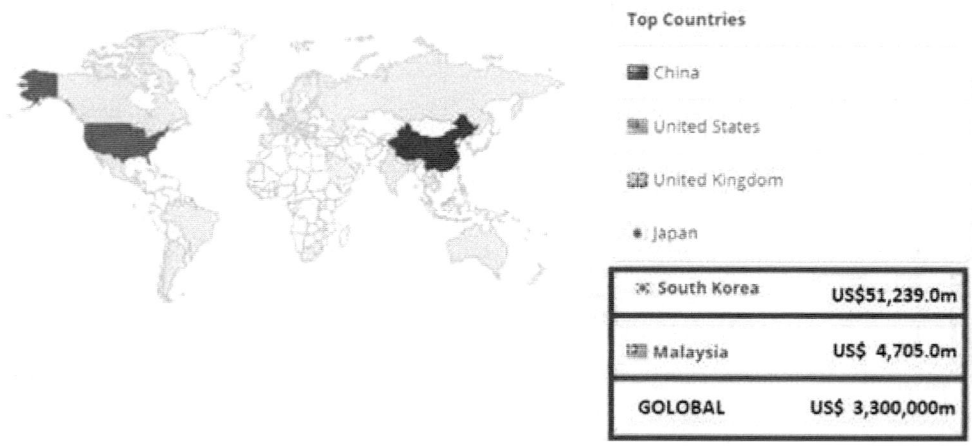

75)

[그림 34] 핀테크 시장규모 비교 (단위: 백만 달러)

말레이시아 핀테크산업 점유율은 온라인결제가 18%로 가장 높은 비중을 차지하고 있으며 전자지갑(12%), 비교 사이트(10%), 대출 서비스(10%), 크라우드펀딩(8%), 송금 서비스(8%)가 그 뒤를 잇는다.

---

73) 말레이시아 핀테크 시장현황, 오유진, KOTRA, 2018.01.18
74) 자료원 : Statiatica
75) 자료원 : Statiatica

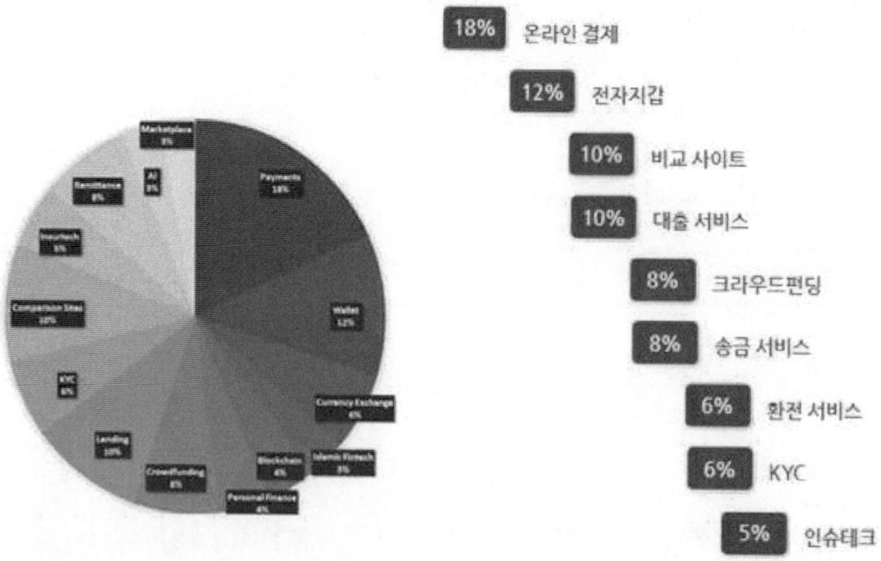

76)

[그림 35] 말레이시아 핀테크시장 부문별 점유율

최근 말레이시아 중앙은행(Bank Negara Malaysia)는 핀테크 회사가 모든 규정들을 확인하며 샌드박스에 대한 이해를 높이고, 핀테크 관련 아이디어를 제출할 수 있도록 웹사이트를 개설해 운영하고 있다.

또한, 소셜미디어 채널을 기반으로 대학교 로드쇼, 비공식 패널 토론 및 분기별 규제 캠프 등 다양한 프로그램을 통해 핀테크 회사들이 말레이시아 규제 환경을 더욱 잘 이해할 수 있도록 지원하고 있다.

76) 자료원 : Statiatica

다) 필리핀[77]

필리핀은 약 7000개의 섬으로 이루어져 있으며, 인구 대부분 농어촌 지역에 거주해 지리적으로 은행 접근성이 떨어진다. 필리핀 금융시장은 은행 계좌 신청 및 보유에 대한 까다로운 기준, 높은 수수료와 대출제한 등 일반인의 진입장벽 높다.

필리핀 국민의 은행 계좌 개설률은 31%, 신용카드 보급률은 3% 수준으로 국민 전반적으로 금융 서비스 사용률이 낮다. 하지만, 최근 스마트폰의 보급이 확산되고, 금융시장이 외국인에게도 개방되면서 핀테크 산업에 대한 관심이 높아졌다.

필리핀은 해외근로자들이 국내로 보내는 외화송금이 2016년 기준 GDP의 9.8%(약 261억 달러)를 차지해 국제금융 수요가 높다. 2016년 기준 필리핀 내 602개의 은행과 은행 지점은 1만576개, ATM은 1만9084개, 전자결제 시스템을 갖춘 은행 119개가 운영되고 있으며 필리핀 정부는 은행산업 경쟁력 제고를 위해 2014년, 금융산업을 외국인 투자자에게도 개방하고 있다.

이전에는 외국계 은행 수를 10개로 제한하고 외국인의 은행 지분 보유 한도를 60%로 제한했으나 현재는 100% 허용하고 있으며, 은행법 개정 이후 외국계 은행들이 필리핀에 점차 진출하고 있으며 우리 기업의 경우 IBK기업은행, 신한은행, 우리은행이 진출했다.

필리핀의 스마트폰 시장은 동남아시아에서 세 번째로 크며, 가장 빠르게 성장하고 있다. 인터내셔널 데이터(IDC)에 의하면, 2017년 상반기에만 스마트폰 400만 대가 필리핀에 공급됐다. [1)]
Statista에 따르면 필리핀의 핀테크 시장은 약 2017년 기준 46억 달러가 거래됐고, 2020년까지 79억 달러로 증가 예상된다. 2017년 9월 기준, 지급 결제 부문과 송금부문에서 주로 핀테크 시장이 성장하고 있으며 통신사 선불 시스템을 이용한 간편결제 서비스가 인기다. 이는 고객의 계좌에 돈을 넣어 계좌와 연결된 전화 크레딧을 사용한 후 월말에 청구하는 방식으로, Mynt사의 'GCash' 와 Smart Communications사의 'Smart Money'가 대중적인 인기를 끌고 있다.
+
특히 'GCash'는 2004년부터 서비스를 시작, 2017년 9월 기준 300만 명 이상이 사용하고 일주일에 약 227억 원의 거래가 발생했다.

---

77) 필리핀, 핀테크(FinTech) 산업 현황, 추설희, KOTRA, 2017.10.19

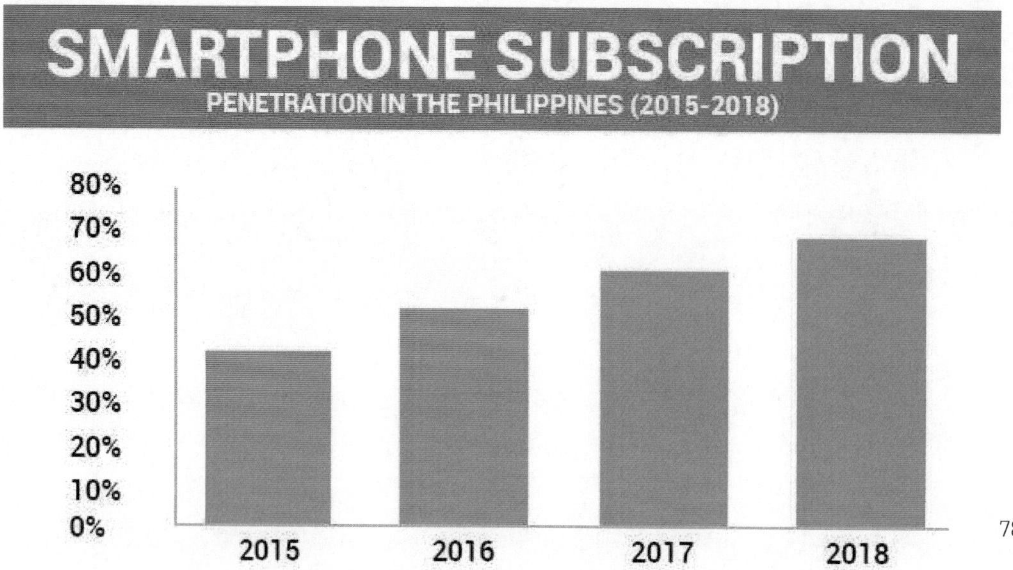

78)

[그림 36] 필리핀 스마트폰 보급률

핀테크 산업 관련 정부기관은 필리핀 중앙은행(The Central Bank of the Philippines)이며, 필리핀 중앙은행은 최근 핀테크 산업을 장려하기 위해 규제를 완화하는 추세다. 금융부문에 관여하지 않는 통신 회사가 자회사 또는 은행과의 파트너십을 통해 모바일 화폐 서비스를 제공할 수 있도록 허용하고 있다.

또한 비트코인 거래, 모바일을 통한 외환 송금규모가 늘어나면서 자금세탁 또는 테러지금 지원 활동에 사용되지 않도록 해외 돈세탁 방지 규제 방안을 발표했다.

78) 자료원: Ericsson South East Asia and Oceania Mobility Report

라) 독일[79)]

2017년 상반기 유럽 내 핀테크 산업 VC투자금액 기준, 독일이 영국에 이어 유럽 핀테크 산업을 주도하고 있다. Ernst & Young의 '독일 핀테크 현황(German FinTech landscape)' 에 따르면 2017년 상반기 독일 내 핀테크 산업 VC투자금액은 3억7000만 유로로 2015년(약 1억6000만 유로) 대비 93% 증가했다.

평균 거래규모도 전년 대비 700만 유로에서 730만 유로로 소폭 증가, 독일에서 성사된 2017년 가장 큰 사모펀드 지분 투자규모는 1억1000만 유로로 신용평가시스템 전문기업인 Kreditech의 투자 유치 사례다.

독일은 기술기반 'Start-up 허브'로 부상 중인 과정에서 디지털 산업분야에 집중 투자하고 있다. Ernst & Young의 'Start-up-Barometer Deutschland' 최신 보고서에 의하면, 2017년 독일 내 스타트업 기업에 대한 투자액은 약 43억 유로로 전년 대비 무려 88% 증가, 총 투자금액의 13%(5억4000만 유로)가 핀테크 산업(전년 대비 투자금액이 30% 증가)에 초점을 두고 있다.

2017년도에도 전자상거래(E-commerce) 및 소프트웨어(Software)가 각 106건 및 83건으로 디지털산업 분야를 주도했으나, 핀테크 사업과는 달리 전년대비 각 약 10% 감소했으며, 핀테크 사업의 투자건수는 55건에서 58건으로 전년대비 약 5% 증가했다.

독일의 핀테크 기업 수는 2017년 상반기에 295개로 지속적으로 증가했다. 이미 2016년 기업 수(총 280개)를 상회했으며, 50% 이상의 핀테크 기업은 지난 3년동안 설립되었다. 독일 핀테크 기업은 소재지 기준으로 베를린(80개), 라인-마인-넥카 지역(프랑크푸르트 포함, 72개) 및 뮌헨(45개)에 총 197의 기업(총 67%)이 소재하고 있어 독일의 제3대 핀테크 산업 허브로 입지를 굳히고 있다.

이 외에도 함부르크 및 쾰른 지역이 주목할 만한 입지로 부상하고 있으며, 총 37개의 핀테크 스타트업 기업이 소재하고 있어, 약 13%의 비중을 차지하고 있다.

특히 독일의 주요 핀테크 '핫스팟' 중, 특히 프랑크푸르트가 주도하는 라인-마인-넥카 지역은 핀테크 사업의 주요 거점으로 성장하고 있다. 해당 지역은 2015년부터 핀테크 산업 분야의 창업기업을 위한 출발점으로 발전했으며, 2016년 독일 연방 정부의 'Digital Hub Initiative' 정책에 따라 해당 산업 관련 인프라 및 제도를 구축했다.

---

79) 독일, 유럽 핀테크 허브로 급부상, 박소영, KOTRA, 2018.04.23

독일은 혁신적인 핀테크 스타트업 기업 투자 목적으로 2016년 TFH III Technologiefonds Hessen GmbH를 출범했으며, 공공 및 민간(예: Deutsche Bank의 Digital Factory 등) 분야 지원 정책으로 인해 해당 지역에 진출하는 핀테크 스타트업 기업에 멘토링 및 금융기관과의 협력을 지원하는 중이다.

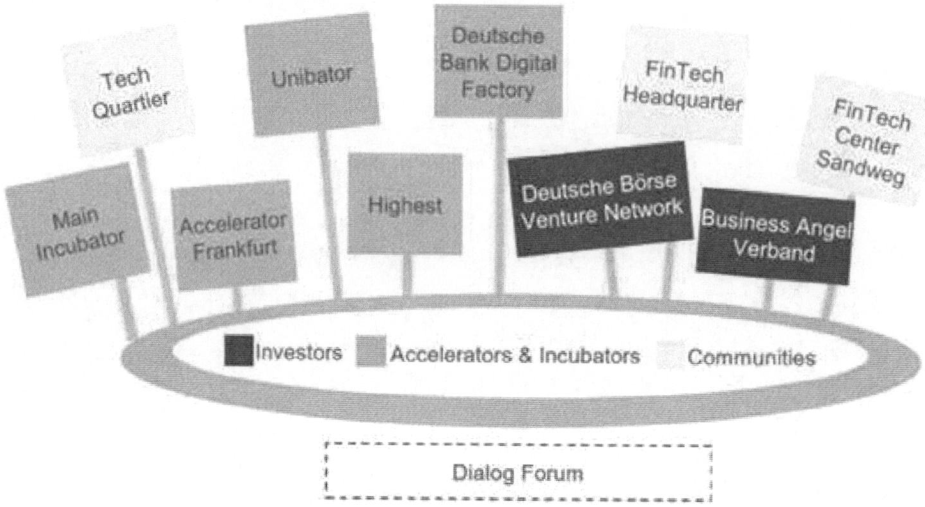

80)

[그림 37] 프랑크푸르트지역의 핀테크 스타트업 기업 지원을 위한 주요 네트워크

더불어 혁신적인 핀테크 스타트업 기업에 활동공간을 제공하기 위해 2016년 하반기 프랑크푸르트 핀테크 허브인 TechQuartier가 설립됐으며 프랑크푸르트 괴테 대학, 다름슈타트 공과 대학교 및 헤센 경제 및 인프라 은행(WIrtschafts- und Infrarstrukturbank Hessen) 지원을 통해 운영, 핀테크 분야 스타트업 기업 및 후원자 기업에 120개 이상의 작업 공간 및 멘토링을 지원하고 있다.

독일에서는 인터넷이나 모바일 지급 결제 시스템(Payment), 대출(Lending)뿐만 아니라 부동산 서비스와 정보기술(IT)을 접목한 프롭테크(PropTech), 보험산업에 변혁을 가져올 수 있는 새로운 기술인 인슈어테크(InsurTech) 및 자산관리 기술(InvesTech) 및 금융 전자상거래 & 정보수집(Financial eMarketplaces & Aggregators) 부문에 약 67%의 신규 핀테크 기업이 설립되었다.

그 외에도 주로 B2B 사업 구조로 운영되는 재무 및 프로세스 지원 소프트웨어(Process & Technology), 재무자료 분석 및 내부통제와 법규 준수를 용이하게 하는 정보기술인 레크테크(RegTech)를 포함한 핀테크 활성(Enabling Fintech) 부문의 신규 기업 설립도 증가했다.

---

80) 자료원: Ernst & Young, German FinTech landscape: opportunity for Rhein-Main-Neckar

Ernst & Young의 'Start-up-Barometer Deutschland 2018' 보고서에 의하면, 핀테크 스타트업 기업 부문에서 대출(Lending) 부문이 거의 2억5000만 유로의 투자 자본으로 가장 큰 규모를 기록했으며, 이를 이어 예금(Saving) 및 결제(Payment)부문이 각 1억2000만 유로와 1억 유로를 차지했다.

독일 핀테크 기업의 주요 사업 분야는 프로세스 및 기술 활성화(Enabling processes & technology), 파이낸싱 & 펀딩, 결제서비스 등이 가장 큰 비중을 차지하고 있다.

독일 지역별로 볼 때 베를린은 금융 및 대출(Banking & Lending) 또는 결제서비스(Payment Service)에 초점을 두고 있으며, 프랑크푸르트의 경우 B2B 사업모델인 Enabling processes & technology(예: 금융 소프트웨어, 프로세스 관리 시스템, 금융 인프라 등)을 집중적으로 다루고 있다.

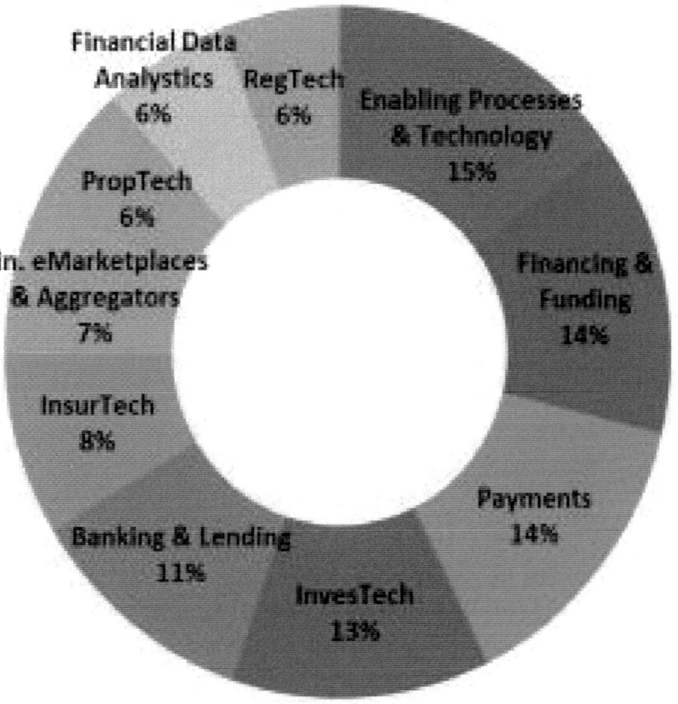

81)

[그림 38] 독일 핀테크 기업의 주요 사업 분야 (2017년 상반기 기준)

81) 자료원: Ernst & Young, Germany FinTech Landscape 2017

Ernst & Young의 조사 결과에 의하면, 독일 상위 10대 은행은 디지털화된 서비스를 제공하기 위해 핀테크 기업과의 전략적인 협력을 확대하고 있으며, 대부분의 협력은 프로세스 및 기술 활성화(Enabling Process & Technology) 부문에서 이루어지고 있다.

해당 은행 중 41%는 자체 벤처캐피털(VC)(예: Commerzbank의 VC인 Commerz Ventures) 또는 벤처 펀드로 통해 결제(Payment), 은행 및 대출(Banking & Lending) 또는 인슈테크(InsurTech)에 투자하는 방식을 선호했다.

이 외에도 포괄적인 지원 프로그램(작업 공간 제공, 전문 멘토링 프로그램[Accelerator program 또는 인큐베이터(예: Commerzbank의 Main Incubator) 설립 등]를 실시해 핀테크 기업들과의 제휴를 추진하고 있다.

2) 핀테크 투자 현황

가) 국가별 투자 현황

신종 코로나바이러스 감염증(코로나19)으로 인한 불확실성에도 불구하고 핀테크에 대한 벤처캐피털(VC) 투자는 글로벌적으로 강세를 보였다.
회계·컨설팅 기업인 KPMG(회장 빌 토마스)가 10일 발간한 '2020 상반기 핀테크 동향 보고서(Pulse of Fintech H1 2020)'에 따르면 올 상반기 글로벌 핀테크 투자액은 256억 달러(한화 30조 4700억원)로 전년(1504억 달러) 대비 17% 수준에 그쳤지만 핀테크에 대한 VC 투자는 200억 달러(한화 23조 8100억원)로 이러한 추세가 지속된다면 연간 최대 투자액을 넘어설 것으로 전망된다.82)

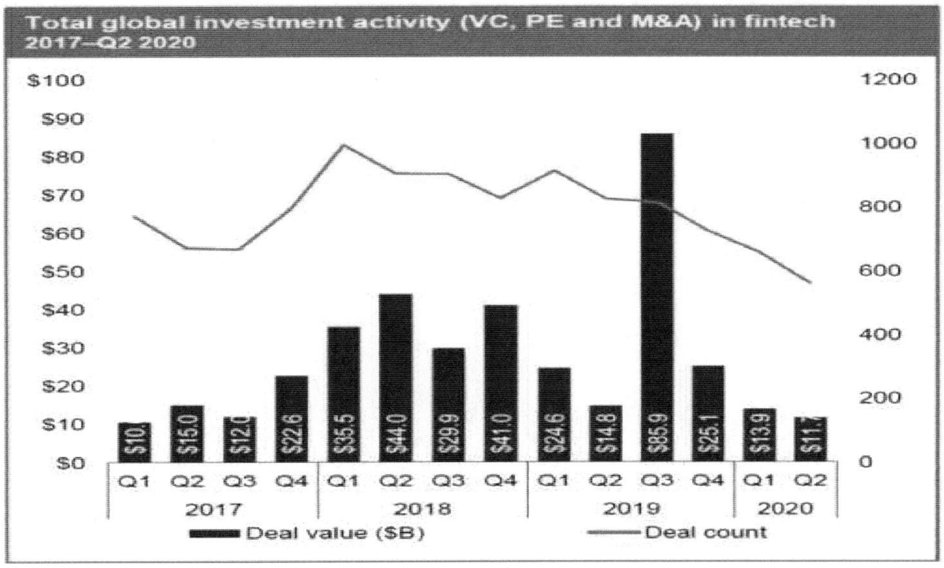

[그림 39] 글로벌 핀테크 투자 규모

전 세계에서 핀테크에 대한 투자 비중이 가장 높은 나라는 미국으로 나타났다. 2015년 미국의 투자 비율은 전체의 60%를 차지했다. 사업 형태별로는 개인 결제나 온라인 대출 사업이 두드러졌다. 최근에는 컴퓨터 프로그램이 개인의 자산 운용을 돕는 '로봇투자자문'도 유망시 되고 있다.

일본도 핀테크에 대한 투자가 미국 못지않게 활발해지고 있다. IDC Japan에 따르면, 일본의 핀테크 관련 IT 투자규모는 2017년 11억 엔에서 2020년 338억 엔으로 연평균 45.4% 성장할 전망이다. 2015년부터 2020년까지의 핀테크에 대한 투자는 연평균 68.7%씩 확대되고 있는데, 이는 다른 IT 분야에 대한

82) 전세계 벤처캐피털 '핀테크' 투자 강세, 2020.09.10.
http://m.joseilbo.com/news/view.htm?newsid=405918#_enliple

투자 증가율에 비하면 단연 높은 수준이다. 미쓰이스미토모자산은 2016년 9월 9일 출범한 뮤추얼펀드 '글로벌 AI 펀드'에 700억 엔(약 7522억 원)의 자금을 조성했는데, 이는 2016년 최대 규모이다. 이 펀드는 세계의 인공지능(AI) 관련 기업을 투자 대상으로 하며 주로 핀테크 기업에 집중하였다. 일본 온라인 몰 라쿠텐도 2015년 11월, 핀테크 관련 기업에 투자하는 1억 달러 규모의 펀드를 설립했다.

이 펀드는 북미와 유럽을 중심으로 결제 및 송금 사업을 다루는 벤처 기업에 투자하고 있다. 전통 금융기관의 투자도 늘고 있다. 미즈호증권은 아시아 핀테크 기업에 투자하는 싱가포르펀드에 최대 20억 엔을 투자할 계획이라고 밝혔다. SBI그룹의 '핀테크 펀드'는 300억 엔의 자금을 조성해 이미 약 60억 엔 가량을 투자했다. 미쓰비시도쿄UFJ은행은 가상화폐거래소를 운영하는 미국 코인베이스에 베팅했다. 83)

세계의 금융、정보통신(IT) 기업이 잇따라 핀테크 서비스를 출시한데 이어 중국 기업들이 가세하면서 경쟁이 치열해졌다. 특히 알리페이、텐센트 등 중국 기업들이 국내 핀테크 시장 진출을 서두르는 이유는 정보통신기술(ICT) 강국인 국내 시장을 테스트베드로 보기 때문이다. 요우커(중국인 관광객)들의 한국 내 쇼핑 규모가 늘어나면서 온·오프라인 지급결제 서비스 출시 필요성은 더욱 커졌다.

텐센트에 앞서 세계 최대 전자상거래업체 알리바바 관계사인 알리페이는 2014년 말 한국스마트카드와 협약을 맺고 국내 오프라인 결제시장에 진출했다. 외국인용 알리페이、티머니 카드를 활용할 경우 알리페이 가입자들은 수도권, 제주도에서 대중교통, 커피숍, 편의점 등에서 자유롭게 결제할 수 있다. 금융권에서는 중국 핀테크 기업들의 성장 배경에는 신용카드 발급이 어렵고 신용도가 낮아 실물을 확인 전까지 대금을 지불하지 않는 문화가 작용하며 전통적 결제 방식에 비해 인프라를 최소화할 수 있는 핀테크에 대해 중국 정부도 자율규제를 원칙으로 삼아 전폭적으로 지원하고 있다고 전했다. 84)

---

83) 글로벌 핀테크 투자 급증…올해 240억 달러로 사상 최고치, 이투데이, 2016.09.08. http://www.etoday.co.kr/news/section/newsview.php?idxno=1381289

84) 핀테크골든타임]중국 IT 괴물들, 한국 '전자지갑' 턴다, 아경e, 2015.02.24. http://www.asiae.co.kr/news/view.htm?idxno=2015022411093515786&mobile=Y

나) 기업별 투자 현황

핀테크 기업에 대한 글로벌 투자 규모는 2008년 9억2000만 달러였는데, 2013년 29억7000만 달러로 5년 사이 3배 이상 늘어났다.[85] 글로벌 핀테크 투자 규모가 2018년에는 111억8000만 달러로 늘어났다. 2013년 투자규모에 비해 2018년에는 최소 3배 이상 더 늘어났다.

전 세계 벤처캐피털의 핀테크 투자규모는 지난 3년간 벤처캐피털의 전반적인 투자규모보다 무려 4배 이상 더 빠른 속도로 증가할 것으로 전망된다. 2014년 1분기에만 무려 167건의 투자, 17억 달러의 투자금이 핀테크 스타트업에 투자됐다.[86] 벤처캐피털의 핀테크 사업영역별 투자비중은 지난 5년간 큰 폭으로 변화한 것으로 나타났다. 핀테크 초창기인 2008년에는 지급결제 부분에 70%, 금융데이터 분석에 16%가 투자됐고, 금융소프트웨어(10%)와 플랫폼(5%)이 그 뒤를 이었다.[87]

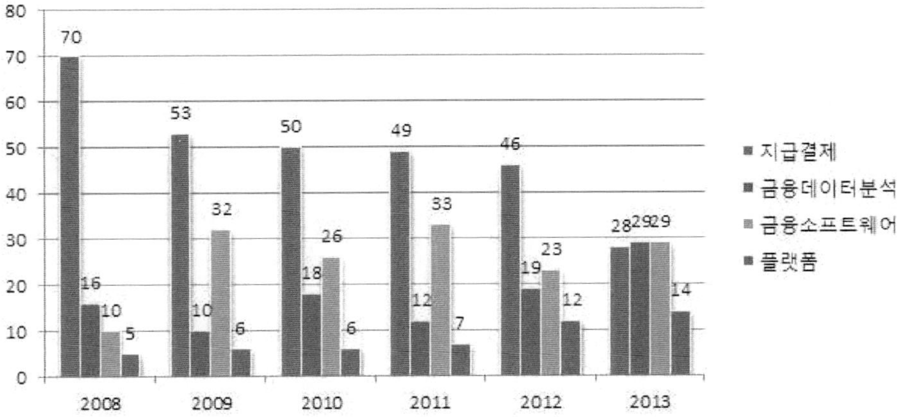

[88]

[그림 40] 글로벌 핀테크 사업영역별 투자 비중(단위 : %)

하지만 이후 금융소프트웨어와 금융데이터 분석 영역에 대한 투자가 큰 폭으로 늘어나면서 글로벌 핀테크 사업영역별 투자 비중에서 보이는 것처럼 상대적으로 지급결제 부분의 투자 비중은 2013년에 28%로 줄어들었다. 오히려 2013년에는 금융소프트웨어와 금융데이터 분석 영역이 각각 29%를 기록 하며 처음으로 지급결제 영역의 투자규모를 뛰어넘기 시작했다.

85) The Boom in Global Fintech Investment, 액센츄어
86) The Boom in Global Fintech Investment, 액센츄어
87) CB Insight
88) CB Insight, 현대증권

플랫폼 서비스에 대한 투자도 빠른 속도로 늘고 있다. 크라우드펀딩 등 플랫폼 서비스인 킥스타터, 인디고고의 성공에 자극을 받은 유사 서비스가 잇달아 등장하면서 빠른 속도의 투자규모 확대에 힘입어 2008년 플랫폼 투자영역의 비중은 지급결제 투자규모의 14분의 1 수준에 불과했지만 2013년에는 절반 수준까지 올라섰다. 2015년에는 모바일 결제/PSP대출 플랫폼 위주로 활발한 투자가 일어났다.89)

월	업체명	분야	투자금액	주요투자자
1월	TransferWise (London, England)	외화송금	$5,800만	Index Ventures 등
2월	Betterment (New York, United States)	자산관리	$6,000만	Northwestern Mutual 등
4월	Prosper (San Francisco, CA)	P2P대출	$1.65억	BBVA Ventures 등
4월	Funding Circle (London, UK)	P2P대출	$1.5억	DST Global, 테마섹 등
4월	PAYTM (Uttar Pradesh, India)	결제솔루션	$2.75억	Ant Financial
5월	Affirm (San Francisco)	결제솔루션	$2.75억	Andreessen Horowitz 등
5월	Robinhood (United States)	주식중개	$5,000만	Index Ventures 등
7월	Kabbage (San Francisco)	P2P대출	$1.2억	Santander UK 등
7월	Stripe (United States)	결제솔루션	$1억 이상	Visa, American Express 등
7월	Seedrs (London, UK)	크라우드펀딩	$1,560만	Woodford Patient Capital 등
8월	SoFi (United States)	P2P대출	$10억	Softbank 등

[표 35] 2015년 주요 핀테크 투자현황

90)

89) 경기창조경제혁신센터, 창조경제연구회 '제 1차 핀테크포럼, 한국핀테크포럼, 2015.
90) 경기창조경제혁신센터, 창조경제연구회 '제 1차 핀테크포럼, 한국핀테크포럼, 2015.

다. 향후 전망

국내은행들은 글로벌 및 내부 IT업체의 국내 금융업 진출 확대로 인해 향후 종전 방식에서 벗어나 고객들의 일상생활을 하나로 통합하고 새로운 연계 서비스를 제공하기 위한 변화 모색에 나설 전망이다. 은행권의 대표적인 영업공간인 오프라인 영업점을 신기술과 상품의 테스트 및 브랜드 마케팅 효과를 유도하기위한 콘셉트 중심의 영업점 형태로 변화 할 가능성이 높으며, 특히 일부 은행들은 전통적인 영업점 중심의 금융서비스 제공방식에서 벗어나 핀테크 기업을 제휴 인수하는 등 새로운 연계서비스 제공에 나설 전망이다.

전자지급결제대행 서비스에 해당되는 간편결제 서비스에서 신세계, 현대백화점 등 유통사, 네이버 및 카카오와 같은 플랫폼사, 이동통신사, 삼성 및 LG와 같은 휴대폰 제조업체 등 다양한 비금융기관이 동 시장에 진출하고 있다. 전자지급결제대행업인 PG사의 등록 추이를 살펴보면 2014년 42개 업체에서 2018년 10월 88개로 약 2배 이상 증가했다. 향후 소액 송금에 특화된 카카오 등 IT업체의 점유율 확대가 예상된다.

아울러, 현재 해외 주요국에서는 IT업체의 금융업 진출을 허용하고 있어, 이러한 흐름이 향후 국내 IT업체의 금융업 진입 규제 철폐에 압력 수단으로 작용할 가능성이 있다. 유럽과 중국, 일본 정부는 현재 새로운 성장 동력 확보와 경쟁을 통한 금융시장의 효율성 증대를 위해 IT업체의 금융업 진출을 적극 허용하는 상황이다.

구분	개선 방향
가상통화 및 외환송금	- 가상통화 거래중개, 보관 등 취급업에 대한 규울 체계 마련(2단계 핀테크 발전 로드뱁 수립, 금융위 '17.06) - 핀테크 기업 등 비금융회사에 대한 '소액 해외 송급업' 허용(외국환 거래법 시행령 개정, 기재부, '17.12)
P2P 금융	- 비대면 계약내용 확인방법 확대(영상통화 허용 유권해석, 금융위 '17.1) - P2P 대출 업자에 한해 총자산한도 규제 완화(대부업법 시행령 개정(금융위, '17.12)
로보어드바이저	- "16년 테스트를 거져 '17년 본격 도입 예정'"(로드어드바이저 테스트베드 운영 방안 마련, 금융위, '16.08)
핀테크 기반 기술	- 핀테크 스타트업에 대한 기술보증기금 및 빈처투자요건 명확화(창업지원법 시행령 개정, 금융위, '16.11) - 오픈 플랫폼 업계 수요 등을 고려하여 API 제공 범위 확대 등 이용 활성화 지원(금융위, '17.06)

[표 36] 2017년 미래창조과학부의 핀테크 규제 혁신계획

국가	내용
유럽	- 페스포팅(psaaporting)규정에 따라 EU 중 한 국가에서 금융업 허가 시, EU 전체에서 금융업 수행 가능
중국	- 금융규제 완화의 일환으로 정부 차원에서 정보통신기술(ICT)기업을 포함한 비금융기관의 금융업 진출 장려 - 최근 국영 은행들이 비금융기관의 금융업 진출 규제를 촉구했으나 정부는 ICT기업을 포함한 주요 기업에 대해 민영은행 설립 시범 사업권 부여
일본	- 비금융기관의 금융업 진출이 허가제가 아닌 등록제로 운영

[표 37] 주요 해외 비금융기관의 금융업 진출 규제 내용

이와 함께, 최근 해외 주요국에서 인터넷 전업은행이 꾸준하게 성장하고 있다는 점에서 국내에서도 인터넷 전문은행 설립에 대한 논의가 본격화될 전망이다.

우리나라에서도 인터넷 전문은행 설립에 따른 본인 확인절차 관련 보안이슈 해결 및 전문 특화은행의 정착방안 등에 대한 감독당국의 세부적인 검토를 거쳐 존립 기반이 마련될 것으로 전망된다.

Special Report

IV. 인터넷 전문은행

4. 인터넷 전문은행

금융관련기관		
중앙은행·금융위원회·금융감독원·금융결제원·예금보험공사		
국가기관	우체국예금보험	
지주회사	금융지주회사(금산분리)	
제 1금융권	은행(지방은행·인터넷전문은행), 농협은행·수협은행	
제 2금융권	금융투자회사	증권사, 자산운용사, 선물회사, 신탁회사, 종합금융회사(단자회사), 투자자신문사, 사모펀드, 벤처캐피탈
	보험사	생명보험사, 손해보험사, 재보험사
	여신전문 금융회사	신용카드사, 리스사·할부금융사, 신기술금융사
	상호금융	농·축협·회원수협·신협·산림조합, 새마을금고, 상호저축은행
기타 사금융	사채(일수), 유산수신업체	

[표 38] 금융 관련 기관 표

91)

91) 나무위키

가. 개요

인터넷 전문은행이란 온라인으로 모든 은행 서비스를 제공하는 것으로, 2015년 11월 은행법 개정안에 따른 정의는 '은행업을 전자금융거래 방법으로 영위하는 은행'을 의미한다. 해외의 경우 일본, 중국, 미국, 유럽 등에서 이미 운영 중이다. 중국은 WeBank(텐센트)와 MyBank(알리바바)가 2015년 생겨났고, 영국의 First Direct[92]도 이에 해당한다. 미국의 유명 인터넷 은행으로는 Charles Schwab Bank[93]이고, 일본에는 Daiwa Next Bank[94]가 모기업인 다이와증권의 지원으로 성행하고 있다. 유럽 및 호주에서는 네덜란드계 ING Direct가 유명하다.

해외의 유수 인터넷은행은 영업지점을 아예 없애거나 대도시에 한두 지점만 여는 방식으로 경영비용을 절감한다. 그래서 대체로 인터넷은행의 이율은 전통적인 은행보다 더 높다. 또한 자체적인 ATM 네트워크를 운영하지 않는 대신 ATM 수수료를 캐시백 해주는 방식으로 고객을 모은다.

최근 핀테크의 발전으로 금융과 IT의 융합이 가속화되는 가운데, 성장성 및 수익성 둔화에 직면한 은행업의 경쟁력 강화 및 소비자 편의성 제고 차원에서 인터넷 전문은행의 중요성이 재차 부각되었다. 이에 금융위원회는 2015년 6월 18일 인터넷전문은행 도입방안 발표를 통해 본격적으로 인가를 위한 작업에 시동이 걸렸으며 동년 9/30~10/1일 예비인가 신청접수를 받음에 따라, 한국카카오 은행, 케이뱅크 은행, 아이뱅크 은행의 세 신청자가 신청서를 접수[95]하였다.

이후 11월 29일 예비인가 결과가 나옴으로써 아이뱅크 은행을 제외한 한국카카오 은행, 케이뱅크 은행 두 곳이 외부평가위원회의 예비인가 권고 및 금융위원회의 예비인가 결정을 얻어 영업을 시작하게 되었다. 2015년 11월 29일의 금융위원회 은행업 예비인가는 23년만의 은행 설립인가가 된다. 이후 케이뱅크는 2016년 12월 은행업 본인가를 받아 2013년 4월 출범하였으며, 카카오뱅크는 2017년 4월 은행업 본인가를 받아 2017년 7월부터 영업을 시작했다. 2개의 인터넷전문은행이 영업을 시작한 이후 빠른 속도로 고객을 유치하는 등 금융소비자들이 많은 관심을 보이고 있다. 출범 1년 만에 고객수 700만명, 총 대출액 8조원에 이르고 있는 등 외적인 규모에서는 크게 성장하고 있다.

---

92) 1989년
93) 2003년
94) 2011년
95) 가칭으로 접수

인터넷전문은행(정부안)		일반은행(현재)
비금융주력자(산업자본) 지분보유 한도	34% (자산 5조원 이상 상호출자제한 기업진단은 제외하나 정보통신업 주력그룹[96]에 한해 허용)	4%
최저자본금	250억 원	시중은행 1000억 원, 지방은행 250억 원
대주주 신용공여 한도	금지	자기자본의 25% 및 지분율 이내
영업범위	일반은행과 동일 (기업에 대한 신용공여 금지하나 소상공인·자영업자·중소기업에 대한 신용공여는 예외적 허용)	여수신 등 고유 업무와 신용카드업 등 겸영업무, 채무보증 등 부수업무

[표 39] 인터넷 전문은행 도입방안

97)

한국은 인터넷전문은행의 추진 과정에서 ICT기업의 진출을 독려하기 위해 비금융주력자 지분보유 한도에 있어서 정보통신업 즉, ICT를 주력으로 하는 그룹에 한해서는 규제를 완화했다.

또한, 최저자본금을 영업점포가 없다는 특수성을 감안하여 요건을 완화했는데, 기존 500억원에서 지방은행과 동일한 250억 원으로 하향조정했으며, 이용자 보호를 위해 불가피한 경우에는 대면영업을 예외적으로 허용했다.

대면영업이 허용되는 경우는 장애인, 65세 이상의 노인 또는 전자금융거래의 방법으로 거래를 시도하였으나, 법령·기술상 제약으로 거래를 최종 종료하기 어려운 경우다.

또한 대주주와 관련된 규제를 일반은행보다 강화하여 대주주의 사금고화 가능성을 원천 차단했다. 이를위해 대주주에 대한 신용공여, 대주주가 발행한 지분증권의 취득을 원칙적으로 금지했으며, 대주주와의 모든 거래를 금지했다.

96) 정보통신업 주력그룹은 기업진단 내 정보통신업 주력 기업 자산 합계액을 기업집단 내 비 금융회사 자산 합계액으로 나눈 값이 50이상인 그룹이다.
97) 금융위원회

나. 은행 비교

인터넷전문은행은 지점망 없이 운영되는 저비용 구조로, 기존 은행에 비해서 각종 수수료를 최소화 하면서도 수익을 낼 수 있는 구조로 은행이용자에게 보다 높은 예금금리, 낮은 대출금리, 저렴한 수수료 제공이 가능하다는 장점이 있다. 또한, 물리적인 점포가 없기 때문에 가격 경쟁력 면에서 기존 은행들에 비해 우위를 가진다.

예를 들어, 은행의 지점 유지비(인건비, 임대료 등)는 은행 전체 비용의 20% 정도를 차지한다. 이를 줄일 수만 있다면 소비자에게 더 매혹적인 금리 등을 제공할 수 있는 장점이 있다. 또한 인터넷만 가능하다면 스마트폰을 이용하여 영업시간과는 상관없이 언제 어디서든 은행 업무를 처리할 수 있기 때문에 훨씬 뛰어난 접근성을 가진다고 볼 수 있다. 마지막으로, 기존 은행의 대기 시간 문제를 해결하여 효용성을 증대시킬 수 있다. 이러한 장점들을 바탕으로 이미 해외 여러 국가의 인터넷 전문 은행들은 꾸준히 성장하고 있는 추세이다.

문제는 ICT 기반의 인터넷은행은 대부분 온라인으로 이루어지기 때문에 비대면에 따른 보안상 문제점을 어떻게 풀어내느냐는 것이다. 금융위원회에 따르면 국내 인터넷전문은행 설립을 위한 중요한 요건으로 네트워크, 백업체계 및 차별화된 보안체계를 요구하고 있다. 인터넷전문은행의 성공 여부는 모든 업무가 인터넷으로 이루어지기 때문에 강력한 사이버 보안기술과 정책이 필수적으로 수반되어야하며 튼튼한 고객 기반과 고객의 니즈, ICT 기반 기술에서 경쟁력에 좌우된다.

분야	기존은행	인터넷전문은행
인터넷 금융거래	인터넷을 보조적 영업채널로 간주 (조회 및 이체거래)	인터넷을 주 채널로 영업하며, 모든 거래가 인터넷을 통하여 이루어짐
영업 기반 지역	지역 점포를 중심으로 해당 지역 기반을 두고 있는 고객 중심	해당 국가 또는 전세계
영업시간	인터넷뱅킹의 조회, 이체를 제외하고 영업시간 제외	24시간 영업체계를 통한 고객의 시공간적인 접근향상
업무범위	금융과 관련한 대부분 업무를 취급	지급결제, 소액대출, 신용카드 등 업무 특화(Niche Marketing)

[표 40] 기존은행과 인터넷 전문 은행 비교

98)

다. 국내

1) 인터넷 전문은행 설립

해외 주요국에서 인터넷전문은행(Internet Primary Bank)이 꾸준하게 성장하고 있어 국내에서도 2002년과 2008년에 인터넷전문은행을 설립하기 위한 정책이 이미 추진된 바 있다. 특히 2008년에는 인터넷전문은행의 자금 규모와 업무 영역 등에 대한 구체적인 검토가 있었다. 그러나 금산분리 원칙이나 지분율 제한 등 규제 문제와 보안 문제는 여전히 풀어야 할 숙제이다.

<table>
<tr><td rowspan="2">2001년 인터넷 전문은행</td><td>설립 시도</td><td>• SK텔레콤, 롯데그룹, 코오롱 등 대기업 + 안철수 연구소, 인테크퓨처 등 벤처 기업 컨소시엄 → V Bank(브이뱅크)</td></tr>
<tr><td>추진 실패</td><td>• 정부의 미온적 태도
• 금융실명제
• 현금 입출입망 확보 문제
• 금산분리 및 대주주 지분 제한</td></tr>
<tr><td rowspan="2">2008년 인터넷 전문은행</td><td>설립 시도</td><td>• 제 1금융권 : HSBC 다이렉트, 산업은행 등 → 지점망 열세 극복
• 제 1금융권 : 카드업계, 키움증권 등 →교차판매 시너지, 은행 공동망 이용
• 금융전문 전산업체 : 스타뱅크(전자어음), KIBNet(ATM 기기) → 축적된 고객기반 및 금융 노하우
• 기타 : 일반 비금융 기업 → 지급결제 수수료 절감</td></tr>
<tr><td>추진 실패</td><td>• 실명확인, 금산분리 규제 → 국회 입법 실패
• 금융위기 직후 사회적 공감 미약
• 금융 IT 발전의 초기 단계에 불과하여 필요성 미약</td></tr>
<tr><td>2015년 인터넷 전문은행</td><td colspan="2">• 실명 확인 문제 해결 : 금융실명법 시행령(타 금융회사에서 실명확인 업무에 대한 위/수탁 허용)
• 글로벌 인터넷 전문은행 성공, 금융 IT의 비약적 발전
• 금산분리 규제 완화 이슈가 남아있음(정치적 문제와 연결)</td></tr>
</table>

[표 41] 국내 인터넷 전문은행 설립 시도

99)

98) 국내외 핀테크 관련 기술 및 정책동향 분석을 통한 연구분야 발굴, KISA, 2016.02.

2) 국내 인터넷 은행

중앙은행	• 한국은행[100]
국책은행	• KDB산업은행 • IBK기업은행 • 한국수출입[101]
특수은행	• Sh수협 • NH농협
시중은행	• KB국민은행 • 우리은행 • SC제일은행 • 씨티은행 • KEB하나은행 • 신한은행
지방은행	• DGB대구은행 • BNK부산은행 • 광주은행 • 제주은행 • 전북은행 • BNK경남은행
인터넷전문은행[102]	• 케이뱅크[103] • 카카오은행[104]
외국은행의 국내지점	• 중국은행 • 중국공상 • BNI • 광대은행 • 중국교통 • HSBC[105]

[표 42] 한국의 은행 현황

99) 금융에서 본 핀테크 IT에서 본 핀테크, 유진투자증권, 2015.01.27.
100) 개인금융 미취급(은행법에 의거하여 개인금융 취급자체가 일절 금지된 중앙은행, 국책 및 특수은행 포함)·취급중단 은행
101) 개인금융 미취급(은행법에 의거하여 개인금융 취급자체가 일절 금지된 중앙은행, 국책 및 특수은행 포함)·취급중단 은행
102) 설립준비중(가칭 또는 속칭) 명칭은 대외명 기준, 정렬은 지로코드 순
103) 설립준비중(가칭 또는 속칭) 명칭은 대외명 기준, 정렬은 지로코드 순
104) 설립준비중(가칭 또는 속칭) 명칭은 대외명 기준, 정렬은 지로코드 순
105) 개인금융 미취급(은행법에 의거하여 개인금융 취급자체가 일절 금지된 중앙은행, 국책 및 특수은행 포함)·취급중단 은행

가) 케이뱅크

[그림 42] 케이뱅크

대한민국의 첫 번째 인터넷전문은행이자, 평화은행 이후 24년 만에 탄생한 제1금융권 은행이다. 2500억원의 자본금을 가지고 KT, 우리은행, NH투자증권, GS리테일, 한화생명보험, 알리바바 등 21개사를 주주로 한다. 빅데이터 기반 중금리 신용대출, 간편심사 소액대출, 체크카드, 간편결제 서비스, 휴대폰/이메일 기반 간편 송금, Robo-advisor 기반 자산관리, Real-time 스마트 해외송금 등을 핵심서비스로 내세웠으며. 동산담보대출 자동차금융, 리스사업 등 기존 제1금융권이 죽쑤고 있는 시장 역시 노리고 있다.

기존 은행보다 접근성이 떨어지는 탓에 저원가성 예금인 요구불예금 유치가 어렵기에 주요 고객층에게 어필할 만한 디지털 음원이나 데이터 쿠폰을 이자로 주는 무원가 예금유치사업모델을 계획하고 있다. 대고객 접점으로는 모바일 애플리케이션, 전국 1만여개에 달하는 GS25편의점, 4만여대의 공중전화 부스를 계획하고 있다.

케이뱅크를 주도하는 기업은 KT이나, 금산분리 원칙에 따라 현재 K뱅크의 대주주는 우리은행이다. 은산분리 규정상 비금융 회사로 분류되는 KT는 지분율 10% 제한에 묶여있기 때문이다. 카카오뱅크가 한국투자금융지주와 콜옵션 계약을 하고 카카오뱅크의 최대주주가 될 수 있는 길을 열어두었던 것과 달리 케이뱅크는 한국투자금융지주 역할을 하는 '원군'이 나타나지 않았다. 따라서 2019년 1월 인터넷전문은행에 한해 은산분리 규제를 완화하는 특례법(ICT 기업에 한해 심사를 거쳐 인터넷전문은행의 지분을 34%까지 보유 가능)이 시행되었지만 케이뱅크 주요 주주 간 지분율 차이는 10%포인트 이내다.

인터넷전문은행에 한해 금산분리를 완화하는 규제완화 법안이 현재 국회에 계류 중이지만 시국 때문에 빠른 시일내 통과되기는 어려울 듯. 관련 IT업계의 참여 역시 기대보다 뜨뜻미지근하고, Linux로 코어 뱅킹 시스템을 짜는 모험을 택한 카카오뱅크와는 달리 우리은행의 노하우와 인력, 전산을 고스란히 수혈하는 길을 택한 탓에 인터넷 전문은행이라기보다는 인터넷 전문은행 같다는 우려가 있다.

실물통장 및 현금카드는 발행하지 않으며, 체크카드는 BC카드를 통해 발급한다. 처음에는 현재 주도권을 쥔 우리은행의 의향대로 우리카드를 통해 발급하는 것을 고려하였으나, 대부분의 결제 프로세스를 BC카드에 위탁하는 우리카드에 K뱅크의 카드 발급을 맡기는 대신 KT의 자회사가 카드업무를 맡는 것으로 결정하였다.

나) 카카오은행

[그림 43] 한국 카카오뱅크

사용자가 5000만 명에 이르는 카카오톡의 후광 덕에 친숙한 이미지로 다가선 카카오뱅크는 시중은행이 시도하지 않은 혁신적인 아이디어로 고객을 끌어들였다. 2019년 1분기 기준 65억6600만원의 당기순이익을 기록했고, 고객수도 930만명으로 1000만명 돌파를 앞두고 있다.

카카오뱅크는 모바일 온리 전략으로 승부수를 던졌다. 국내 은행권에서 가장 먼저 '네이티브 앱' 방식을 개발한 것이다. 웹서버를 기반으로 작동하는 기존 은행권의 하이브리드 앱과 달리 안드로이드, iOS 등 모바일 기기 운영체제에 최적화된 개발 언어를 사용해 앱을 제작한 것이다. 덕분에 다른 은행 앱으로 로그인하고 있을 시간에 카카오뱅크 앱으로는 송금까지 마무리 할 수 있었다. 또한 불편함의 대명사인 공인인증서가 필요없기 때문에 진정한 사용자 입장에서는 진정한 모바일 뱅킹이라고 느낄 수 있었던 것이다.

카카오뱅크와 케이뱅크는 모두 컨소시엄의 형태로 출범했다. 은산분리 규정상 비금융 회사로 분류되는 카카오는 지분율 10% 제한에 묶여 있었다. 그러나 카카오는 인터넷전문은행에 대한 은산분리 규제가 완화될 것이라 예상하고 한국투자금융지주와 콜옵션을 계약했다. 카카오가 한국투자금융지주보다 1주 더 많은 지분을 보유할 수 있다는 내용이다. 카카오뱅크의 최대주주가 될 수 있는 길을 열어둔 것이다.

마케팅 역량도 적극 활용했다. 카카오뱅크에 가입하면 카카오 인기 캐릭터 이모티콘을 주는 식의 마케팅이 효과적이었다. 카카오뱅크를 쓰지 않는 사람들 사이에서도 소유욕을 자극했던 ‘프렌즈 체크카드’는 마케팅의 정점이라고 말할 수 있다. 카카오프렌즈를 전면에 내세운 체크카드를 선보였기 때문에, 카드가 나온 2017년 4분기에는 카드 신청 후 발급까지 한달을 기다려야 할 정도였다. 프렌츠 체크카드는 800만장이 넘게 발급되었다. 금융 업계에서는 이용률에 비해 발급률이 월등히 높다는 점을 들어 비용을 걱정했다. 그러나 프렌즈 체크카드를 갖기 위해 카카오뱅크에 가입한 사람이 늘면서 인터넷전문은행을 이용하지 않던 고객까지 유입되었다. 이에 따라 시중은행 역시 유명 캐릭터나 연예인을 새긴 카드를 내놓으면서 카카오뱅크의 마케팅을 벤치마킹하고 있다.

3) 성공요건[106]

국내 인터넷전문은행의 성공요건은 존속가능성과 직결되는 주요 모니터링 대상인 바, 이를 파악하기 위해 해외 인터넷전문은행의 사례를 검토할 필요가 있다. 가장 오랜 역사를 보유한 미국의 경우 1995~2014년 중 40여 개의 인터넷전문은행이 설립되었으나, 청산 및 M&A가 활발하게 이루어진 결과 현재는 20여 개로 감소한 상황이다. 생존한 은행들은 대체로 비은행 금융회사 또는 산업자본의 자회사 형태이며 각기 모회사의 영업기반을 바탕으로 차별화된 사업모델을 보유한 것으로 평가받고 있다.

유럽은 HSBC은행의 First Direct Bank, 비엔피파라바은행의 Hello Bank와 같이 기존 은행의 사업부 형태로 운영되는 경우가 많으며, 이는 EU내의 특정 국가에서 은행업 인가를 받으면 역내 다른 국가에서 은행업 영위가 가능한 데 기인한다. 일본의 경우 은행과 타업종 기업의 합자, 비은행 금융회사 또는 산업자본의 자회사 형태로 운영되고 있으며 모회사의 영업기반을 활용한 연계 서비스 등을 제공하며 특화된 사업모델을 구축한 것으로 파악된다.

해외 인터넷전문은행의 실패 사례에서 공통적으로 확인되는 사항은, 고객기반 확보를 위해 과도하게 높은 금리로 자금을 조달하거나 막대한 마케팅비용을 지출한 경우, 고수익·고위험 자산의 비중 확대가 불가피하며 결국 자산건전성 저하에 따른 부실화로 이어진 경우가 많다는 점이다. 또한, 조기에 고객기반을 확보한 경우에도 기존 은행과 유사한 서비스를 제공하는 데 그친 인터넷전문은행들은 가격경쟁 부담으로 인해 실적이 저하되는 모습을 보였다. 해외 사례를 종합적으로 고려할 때 규모의 경제 달성이 가능한 수준의 고객기반 확보 여부, 그리고 기존 은행들과 차별화된 서비스의 제공 가능 여부가 주요 성공요건인 것으로 판단된다.

106) 인터넷전문은행 도입, 은행업계는 어떻게 달라질 것인가, 채명석, 2016.01.11.

구분	한국카카오 은행	케이뱅크 은행
자본금	1조 8000억 원	9017억 원
주요주주 (지분율)	카카오(34%) 한국투자금융지주(34%) 국민은행(10%)	우리은행(13.19%) NH투자증권(10%) 케이로스 유한회사(9,99%) 한화생명(7.32%) GS리테일(7.2%)
핵심 제공서비스	중금리대출(빅데이터 기반) 카카오톡 기반 간편 송금 카드·VAN·PG없는 간편 결제 카카오톡 기반 금융 비서 카카오 유니버설 포인트	중금리대출(빅데이터 기반) 토탈 간편지급결제(Express Pay) 휴대폰·이메일 기반 간편 송금 Robo-advisor 기반 자산관리 Real-time 스마트해외송금

[표 43] 예비인가자들의 주요 특성 비교

107)108)

금번 예비인가자인 한국카카오 은행과 케이뱅크 은행은 설립주체 측면에서 은행·비은행·금융회사 산업자본 등 다양한 주주 구성을 나타내고 있다. 한국카카오은행의 경우 모바일메신저 카카오톡을 활용한 높은 고객 접근성을 바탕으로 고객기반 확보가 용이할 것으로 보이며, 상대적으로 낮은 마케팅 비용이 소요될 것으로 예상된다. 케이뱅크 은행은 한국카카오 은행과 비교할 때 고객 접근성은 다소 열위하나 주주 구성 측면에서 다양성이 높으며, 통신·지급결제·유통 등 다양한 업종의 정보를 보유한 점과 오프라인 채널(대리점, 편의점 등)의 활용 가능성이 높은 점이 강점이다.

107) 금융위원회 보도자료, 2015.11.29.
108) 카카오, GS리테일, 한화생명보험, 다날, KT의 경우 4%까지의 의결권 행사 가능

전반적으로 예비인가자들은 주주 구성 및 영업기반 측면에서 긍정적인 요건을 갖춘 것으로 판단되며, 향후 주주의 영업기반을 바탕으로 한 충분한 고객기반의 확보 여부와 기존 은행들과 차별화된 서비스의 제공 가능 여부가 시장 안착의 관건이 될 전망이다.

4) 주요 고객군

국내 인터넷전문은행의 성공요건인 고객기반 확보 여부와 관련하여 주요 고객군을 검토해 보아야 한다. 국내 인터넷전문은행들은 간편 송금 및 결제, 자산관리 등 다양한 서비스를 제공할 계획이나, 공히 중금리대출은 주요 사업 영역으로 강조하고 있다. 그 동안 국내 가계신용대출 시장에서는 중신용층이 신용위험 대비 높은 금리를 부담하는 현상이 지속되어 왔다. NICE평가정보의 CB데이터를 기준으로 살펴보면, 2015년 6월 말 현재 1~4등급 가계신용대출 중 은행으로부터의 차입이 79.0%의 비중을 차지하고 있어 1~4등급의 경우 저금리성 차입에 대한 접근성이 높은 상황이다.

그러나 중신용층인 5~6등급의 대출 잔액에서 은행으로부터의 차입이 차지하는 비중은 31.8%로 낮은 수준이며, 5~6등급이 비은행권에서 차입할 경우 금리가 큰 폭으로 상승하였다.[109] 이는 상대적으로 신용정보의 파악이 용이한 고신용층 및 저신용층과 달리, 중신용층은 금융거래실적 자체가 존재하지 않아 중신용층으로 분류되기도 하는 등 정보 부족으로 인해 보수적인 관점에서 금리 산정이 이루어진 결과로 판단된다. 중신용층이 신용위험 대비 상대적으로 높은 금리를 부담하고 있는 가운데, 인터넷전문은행들은 적정금리를 제공을 통해 중신용층을 중심으로 고객기반을 확보할 계획이다.

109) 은행5.5%→카드론15.0%

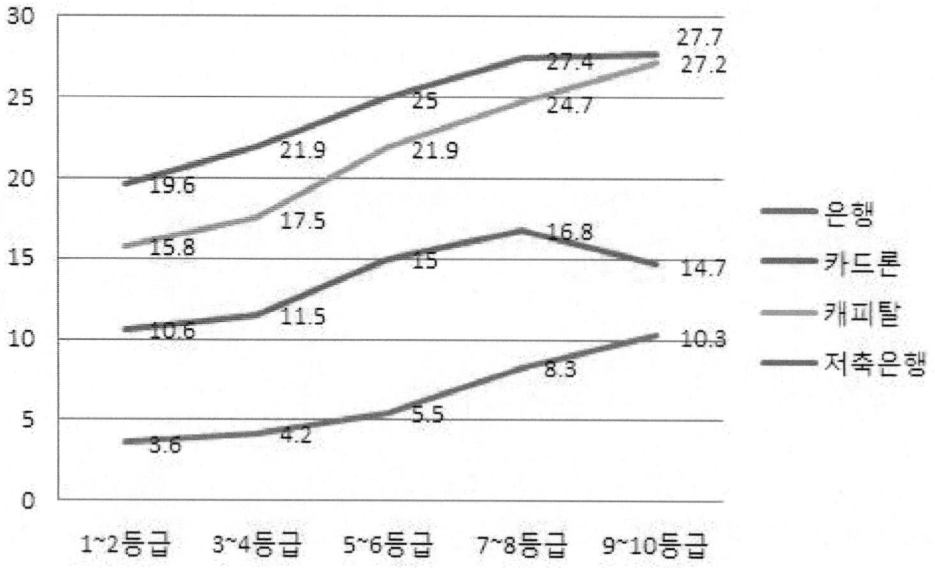

110)

[그림 44] 금융업권의 신용등급별 평균 대출금리(단위 : %)

5) 인터넷 전문은행 도입 이후의 은행업 전망

국내 인터넷 전문은행들의 경우 지점 설립이 제한됨에 따라 대면 영업에 기초한 기업·기관 대상의 거액 법인대출 규모는 크지 않을 것으로 보인다. 중금리대출 시장을 중심으로 소매금융에 주력할 것으로 예상되는 가운데, 기존 국내은행들의 여신 포트폴리오 구성을 감안할 때 여신 측면에서 기존 은행들의 시장지위에 미치는 영향은 제한적일 전망이다.

2015년 6월 말 기준 제주은행과 수출입은행을 제외한 15개 은행의 차주별 여신 포트폴리오 현황을 살펴보면, 기업여신 61.6%, 가계여신 36.0%로 기업여신의 비중이 높게 나타나고 있다. 또한, 가계여신은 대부분 주택담보대출로 구성되며 가계신용대출(6.5%)과 가계 신용카드 채권(0.5%), 기타 가계여신(3.9%)의 비중은 낮은 수준이다. 기타 가계여신을 광의의 신용대출로 간주하더라도 가계부문의 신용대출이 국내은행의 여신 포트폴리오에서 차지하는 비중은 10.9%로 낮은 수준을 보이고 있다.

110) 중금리대출 시장 경쟁구도 변화와 은행의 과제, 우리금융경영연구소, 2015.11

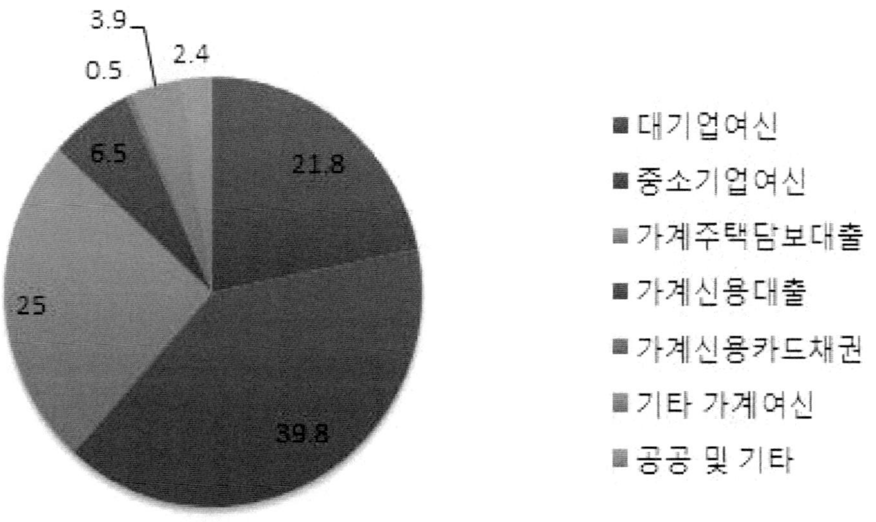

[111][112]

[그림 45] 국내은행의 차주별 여신 포트폴리오 현황

또한, 2015년 6월 말 기준 국내은행의 전체 가계신용대출 중 고신용층(1~3등급)에 대한 여신이 77.5%로 높으며 1~4등급 기준으로는 84.4%를 나타내고 있다.[113] 국내 전체 가계신용대출 기준으로도 1~3등급 신용대출 중 은행의 비중이 85%를 상화하고 있는 상황이다.

국내은행들의 주요 신용대출 고객군이 고신용층으로 구성되어 있어, 중산용층이 주요 고객군인 인터넷 전문은행과의 경쟁강도는 높지 않을 것으로 예상된다.

4등급 이하 고객들의 경우 은행과의 경쟁 가능성이 존재하나, 국내은행들의 가계신용대출 비중이 낮은 가운데 주요 신용대출 고객군 또한 상이한 점을 감안할 때 인터넷전문은행 도입이 기존 은행들의 여신 규모에 미치는 영향은 크지 않을 전망이다. 인터넷전문은행의 주요 고객군이 중신용층인 점과 10%대의 예상 대출금리를 감안할 때 기존 은행보다는 신용카드, 캐피탈 등의 여신전문금융업권이 주요 경쟁상대가 될 가능성이 높다.

111) 국내은행업무보고서, 2015.06.
112) 제주은행, 수출입은행을 제외한 15개 은행 기준
113) NICE평가정보 CB데이터 기준

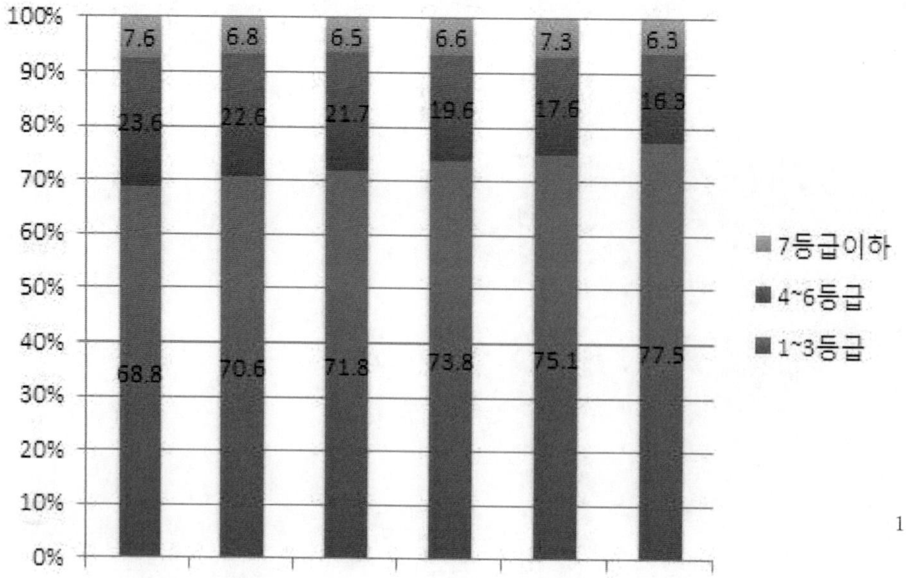

114)

[그림 46] 은행가계신용대출 중 신용등급별 비중 추이(단위 : %)

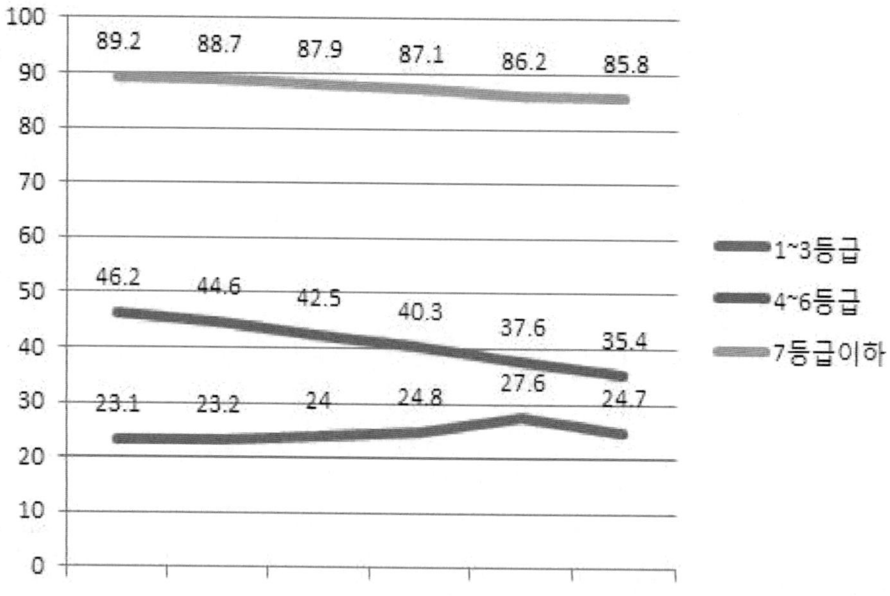

115)

[그림 47] 신용등급별 전체 가계신용대출 중 은행 MS추이(단위 :%)

주요 고객군이 상이한 여신과 달리 수신 측면에서는 인터넷전문은행과 기존은행들의 경쟁이 불가피할 것으로 보이며, 금리경쟁력을 보유한 인터넷전문은행의 파급력이 있을 것으로 예상된다. 저금리 환경으로 인해 고금리 예금상품의 잠재수요가 확대되고 있는 가운데, 지점 수가 적어 판매관리비 부담이 낮은 한국산업은행이 과거 고금리를 무기로 한 다이렉트뱅킹을 통해 수신기반을 단기간 내에 확충한 사례는 인터넷전문은행의 수신 확보와 관련하여 가늠자가 될 수 있

114) NICE평가정보
115) NICE평가정보

다.

2011년 9월 한국산업은행은 당시 민영화가 추진되는 과정에서 소매금융 확대를 위해 다이렉트뱅킹을 도입하고, 수시입출식예금에 연 3.50%(시중은행 평균 연 0.2%), 1년 만기 정기예금에 연 4.50%(시중은행 평균 연 3.96%)의 높은 금리를 제공하며 수신을 적극적으로 유치하였다. 이에 총수신 증가율이 1년간 45.8%를 보이면서 총수신 점유율은 1년 만에 1.0%p나 상승하는 모습을 나타냈다.[116]

2013년 이후 총수신 점유율이 재차 하락하는 추세를 보이고 있으나 이는 2013년 감사원의 역마진 지적, 국책은행 민영화 추진 재검토 등으로 인해 소매금융을 축소한 데 기인한 것이며, 한국산업은행의 다이렉트뱅킹은 지점망이 열위함에도 불구하고 높은 수신금리를 바탕으로 단기간 내에 수신기반 확충이 가능했다는 사례라는 점에서 의미가 있다.

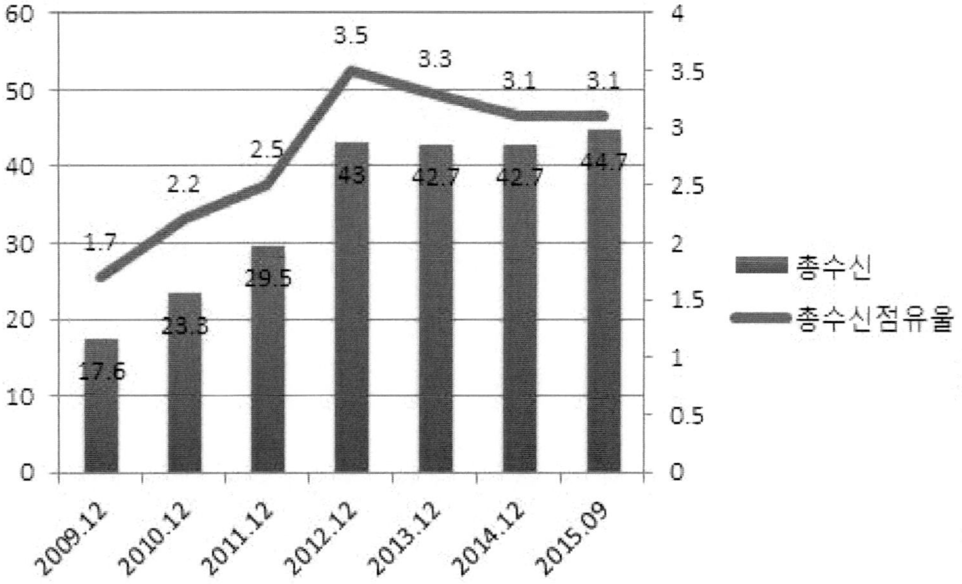

[117]

[그림 48] 한국산업은행 총 수신 추이

116) 총수신 점유율 2011년 말 2.5%→2012년 말 3.5%
117) 국내 17개 은행 공시자료, NICE신용평가 정리

라. 해외[118]

설립주체	특징	주요 인터넷전문은행
은행	사업부	• First Direct(영국) • Hello Bank(프랑스)
	자회사	• WeBank(이탈리아) • SBI Sumishin Net Bank(일본)
	별도 법인연계 (주로 증권업)	• ComDirect(독일) • Boursorama(프랑스)
증권	브로커리지 서비스 확장	• Charles Schwab Bank(미국) • Daiwa Next Bank(일본)
보험	저축예금 공략	• EGG Bank(영국) • Skandia(스웨덴)
카드	지급결제 서비스 확장	• American Express Bank(미국) • Discover Bank(미국)
은행+산업자본	통신업체 제휴	• Jibun Bank(일본)
	포털업체 제휴	• The Japan Net Bank(일본) • WeBank(중국)
산업자본	유통(기존 고객기반 활용)	• Tesco Bank(영국) • Rakuten Bank(일본)
	자동차(자동차금융 특화)	• Ally Bank(미국) • BMW Bank(독일)
모험자본	독립계	• Fidor Bank(독일) • Holvi(핀란드)

[표 44] 해외 인터넷전문은행 현황

119)

118) 인터넷전문은행 도입이 갖는 의미와 해외 동향, 학주니닷컴, 2016.02.02.
119) IT·금융 융합 및 신성장동력 창출을 위한 인터넷전문은행 도입방안, 금융위원회, 2015.06.18.

1) 미국

미국은 1995년 10월에 세계 최초의 인터넷전문은행인 SFNB(Security First Network Bank)가 설립된 이후 2000년 초반까지 30여개의 인터넷전문은행이 설립되었다. 도입 초기에 IT붐으로 인해 새로운 금융거래의 주류를 형성할 것으로 보였으나 낮은 브랜드 인지도 및 기술력으로 인해 고객 확보에 실패하여 많은 인터넷전문은행이 사업을 중단하거나 타 금융기관에 인수, 합병되어 2000년대 중반에는 12군데로 감소되었다.

하지만 그 이후에 인터넷뱅킹 이용율 증가와 비즈니스 모델의 차별화 전략으로 영업실적이 향상되고 재무구조가 개선되어 인터넷전문은행이 기존 은행들을 위협하기 시작했다. 지금은 20개가 넘는 인터넷전문은행이 미국에서 운영되고 있으며 2014년 3월에는 10대 인터넷전문은행의 총자산이 4,400억 달러, 총예금이 3,089억 달러를 기록하여 전체 은행 대비 3.1%, 2.8%를 차지하는 상황이 되었다.

미국의 경우 주로 비은행 금융기관과 비금융기업(산업자본)이 설립을 주도한 것이 특징인데 예를 들어 Charles Schwab Bank와 E*Trade는 온라인 증권사가, Ally Bank와 BMW Bank는 GM과 BMW가 주도해서 만들어진 인터넷전문은행이다. 그리고 주요수익은 일반은행과 마찬가지로 이자이익이지만 그 밖에도 유가증권관련이익, 대출채권 관련수수료, 자산유동화관련수익, 수표발행 및 ATM 사용수수료 등으로도 수익을 내고 있다. 1956년 제정된 미 은행지주회사법(BHCA)에 따르면 산업 자본의 인터넷전문은행 지분보유 한도는 25%다.

은행명	설립연도	총자산 (억달러)	총예금 (억달러)	당기순이익 (억달러)	주요 산업(운용) 분야
Ally Bank	2004	1,007.7	568.0	8.5	기업대출
Alostar Bank	2011	9.2	6.5	0.03	기업대출
American Express	2000	430.5	291.8	15.7	기업대출, 개인대출(신용카드)
Barclays Bank	2001	241.6	150.0	1.2	개인대출(신용카드)
BMW Bank	1999	99.8	62.1	1.0	개인대출(자동차대출)

[표 45] 미국 인터넷 전문은행 현황

120)121)

120) FDIC, 우리금융경영연구소, 이베스트투자증권 리서치센터

은행명	설립연도	총자산 (억달러)	총예금 (억달러)	당기순이익 (억달러)	주요 산업(운용) 분야
Bofi Federal Bank	2000	48.2	32.6	0.5	부동산담보대출
Charles Schwab	2003	1,005.9	973.9	7.0	유가증권(ABS 등), 부동산담보대출
CIT Bank	2000	203.3	144.3	0.9	기업대출
Colorado Fsb	1990	18.0	12.4	0.1	유가증권, 부동산담보대출
Discover Bank	1911	791.2	453.9	18.5	개인대출(신용카드)
ETRADE Bank	1933	445.1	329.3	3.4	유가증권, 부동산담보대출
First Internet Bank	1998	9.2	7.5	0.04	부동산담보대출
GE Capital Bank	1993	198.9	161.6	1.5	기업대출
Nationwide Bank	1998	60.2	43.8	0.4	부동산담보대출, 개인대출(자동차)
Nordstrom Fsb	1991	2.3	0.5	0.9	개인대출(신용카드)
Principal Bank	1998	21.5	19.5	0.2	개인대출(신용카드)
Sallie Mea Bank	2005	114.8	97.4	1.9	개인대출(학자금)
State Farm Bank	1999	170.2	106.4	0.5	부동산담보대출, 개인대출(자동차)
Synchrony Bank	1988	461.0	333.4	13.0	개인대출(신용카드)
USAA Fab	1983	661.8	588.0	5.8	개인대출(신용카드), 자동차
계		6,050.3	4,383.10	80.9	
전체은행대비(%)		3.9	4.3	6.9	

[표 46] 미국 인터넷 전문은행 현황

121) 설립연도와 인터넷전문은행업 영위 시작 시점은 다를 수 있음, 총자산 및 총예금은 2014년 9월 말 기준, 당기순이익은 2014년 1월부터 9월 기준

2) 일본

일본은 2000년부터 2018년 로손은행까지 총 10개의 인터넷전문은행이 설립돼 영업을 하고 있는 인터넷전문은행 강국이다. 일본의 경우 2000년에 발표된 새로운 형태의 은행업에 대한 가이드라인에 따라 인터넷전문은행이 설립되었는데 주로 비금융기업(소니, 야후제펜, 이토카도 등)과 은행 공동출자 형식으로 설립이 된 것이 특징이다. 물론 비은행 금융기업이 설립하는 경우도 있고 비금융기업이 설립하는 경우도 있다. 또 인가를 받을 경우 비금융회사의 은행 지분 20% 이상 소유를 허용했다.

예를 들면 제펜너트은행의 경우 사쿠라은행과 후지쯔, 미쓰이물산 등의 비금융기업과 은행이 공동 출자해서 설립했으며 SBI 주신네트은행과 소니은행도 비금융기업과 은행의 공동 출자 형식으로 설립된 인터넷전문은행이다. 다이와넥스트은행의 경우 비은행 금융기업인 다이와증권그룹이 중심이 되어 설립한 경우다. 라쿠텐은행의 경우 비금융기관인 라쿠텐이 중심이 되어 설립된 경우다. 이렇듯 일본의 경우 산업자본과 금융자본의 공동 출자 형식으로 인터넷전문은행이 만들어져서 운영되고 있다.

은행명	영업 개시	총자산 (십억엔)	예수금 (십억엔)	당기 순이익	현재 주요 주주
재팬네트은행	2000	830	750	2.1	• SMBC 44.25% • 야후 44.25%
세븐은행	2001	1,023	623	25.3	• 세븐일레븐재팬 38.1% • SMBC 1.25%
소니은행	2001	2,651	2219	4.7	• 소니파이낸셜홀딩스 100.0%
라쿠텐은행	2001	2,354	2,010	16.4	• 라쿠텐카드 100.0%
SBI 주신네트은행	2007	5,040	4,426	10.4	• 스미토코미쓰이신탁은행 50.0% • SBI 홀딩스 50.0%
이온은행	2007	3,654	3,052	8.0	• 이온파이낸셜서비스 100.0%
지분은행	2008	1,083	907	1.1	• 미쓰비시UFJ은행 50.0% • AU 50.0%
다이와넥스트 은행	2011	4,334	3,556	2.9	• 다이와증권그룹 100.0%

[표 47] 일본 인터넷 전문은행 현황

122)123)

2018년 영업을 시작한 로손은행을 제외한 나머지 9개 일본 인터넷전문은행의 총자산은 2018년 3월 기준으로 21조엔, 직원 수는 5392명이다. 이는 일본 국내은행의 각 1.9%, 1.8%에 불과한 작은 규모다. 그러나 성장성과 수익성, 생산엉은 일본 국내은행보다 우수하다. 2011년부터 2017년까지 6년 동안 인터넷전문은행의 총자산은 2.2배, 당기순이익은 2.3배, 직원 수는 1.9배 증가했다. 이는 일본 국내은행보다 더 큰 폭의 증가세다.

일본의 인터넷전문은행의 수익모델은 일반 시중은행과 크게 다르지 않고 미국의 경우와도 비슷하다. 일본 최대 인터넷전문은행인 SBI 주신네트은행의 경우 이자이익이 66.6%, 수수료수익이 22%, 유가증권매매 등의 기타이익이 11.4%로 나타났다. 다른 인터넷전문은행도 비슷한 상황이라고 충분히 예측이 가능하다. 하지만 일본의 인터넷전문은행은 다양한 금융회사 및 비금융회사의 제휴를 통해 자산관리, 온라인 지급결제 등의 특정 은행서비스에 집중하는 성태로 성장했다는 것이

122) 한국은행
123) 우리금융경영연구소, 이베스트투자증권 리서치센터

특징이다.

예를 들어 SBI 주신네트은행의 경우 SBI Securities(계열 증권사)와 합작을 통해 출시한 복합상품, 공동설립주체인 스미모토미쓰이은행과 연계한 주택담보대출 등을 기반으로 성장하면서 2009년 이후 5년간 예금 규모가 5배나 증가했다. 다이와넥스트은행의 경우 다디와증권 고객과 연계된 스윕어카운트서비스(계좌잔액 일정수준 초과시 자동이체) 등의 상품/서비스를 강화함으로 설립 3년 만에 2위권 인터넷전문은행으로 올라가게 되었으며 라쿠텐은행의 경우 전자상거래 업체인 라쿠텐의 영향으로 인해 전자상거래, 해외송금, 전자화폐 등의 지급결제 업무에 특화하여 성장한 케이스다. 이렇듯 일본의 인터넷전문은행은 고객의 편의성 제고를 통한 다양한 고객니즈 충족과 함께 모회사의 고객기반 및 네트워크 활용을 중심으로 성장하고 있는 중이다.

3) 유럽

유럽의 최초 인터넷전문은행은 1995년 영국에 설립된 Egg Banking으로 보험사인 푸르덴셜이 설립했다. 이후 EU의 경제통합으로 국가별 영업기반을 뒀던 은행들이 인터넷을 이용하여 지역적 한계를 극복하고자 인터넷전문은행을 설립하는데, 2002년 중반까지 35개의 인터넷전문은행이 설립되었다.

그리고 미국이나 일본과 달리 유럽의 경우 앞서 얘기했듯 설립의 주체가 은행과 같은 금융기관인 것이 특징이다. 유럽의 인터넷전문은행은 공통적으로 모은행의 경쟁력 제고전략의 일환으로 활용되기 위해 만들어졌기 때문에 대부분이 은행의 자회사 형식으로 인터넷전문은행이 설립되어 운영되어 왔다.

EU에선 산업 자본의 은행 소유를 금지하는 법안이 존재하지 않는다. 다만 일반기업이 은행 지분을 일정 비율 이상 취득할 때마다 금융당국의 허가를 받도록 되어 있다. 자율성을 최대한 부여하되, 기업이 비위를 저지르지 않도록 감독하겠다는 취지다. EU에선 인터넷전문은행의 대주주가 금융자본인 경우가 대부분이지만, BMW나 폭스바겐그룹처럼 일반 기업이 인터넷전문은행을 운영하는 경우도 있다. 두 기업은 고객들이 자사 차량을 구매할 때 산하 인터넷전문은행을 이용하면 혜택을 주고 있다.

최근에는 대형 은행들이 온라인과 모바일 환경에 익숙한 젊은 고객들을 유치하기 위한 수단으로 인터넷전문은행을 활용하고 있는데 포르투칼의 최대은행인 밀레니엄BCP는 Activobank라는 자회사를 설립했으며 BNP파리바는 헬로뱅크라는 모바일 전용은행을 선보이며 모든 서비스를 모바일환경에서 제공하고 있다.

은행명	총자산(백만달러)	국가
Activobank SA	199	Spain
Allgemeine D. Direktbank	21,886	Germany
Banque Covefi	499	France
Basisbank	78	Denmark
Consors Discount Broker	2,248	Germany
DAB Bank AG	1,976	Germany
Egg Banking Plc	16,973	United Kingdom
Entrium Direkt Bankers AG	5,934	Germany
HSB Bank AB	1,211	Sweden
Lansforsakringar Bank AB	2,325	Sweden
Patagon internet Bank SA	2,566	Spain
SkandiaBanken AS	411	Denmark
Uno-e bank	1,385	Spain
Nanque AGF	3,841	France
Banque Bipop	141	France

[표 48] 유럽 인터넷 전문은행 현황표

124)125)

124) 한국인터넷기업협회, 이베스트투자증권 리서치센터
125) DAB Bank AG는 2000년, Entrium Direkt Bankers AG는 2001년, 나머지 은행은 2002년 기준

4) 중국

중국의 경우 국유은행에 대한 편중, 가격(금리) 체계의 미성숙 등으로 중국 금융시스템의 발전정도는 국내에 비해 뒤쳐진 것으로 평가되지만 알리페이로 대표되는 모바일결제를 비롯한 핀테크 영역은 국내에 비해 앞서 있으며 인터넷전문은행 설립 또한 한 발 빠르게 진행되고 있다고 보여 진다.

중국 텐센트는 중국 인터넷의 보편화와 온라인금융상품 발전 추세에 힘입어 바이예우엔, 리예그룹 등 유명 민영 기업과 함께 인터넷전문은행 설립을 추진했다. 2014년 12월 12일 중국은행보험감독관리위원회의 허가를 받아 중국 선전 첸하이 지역에 중국 최초의 인터넷전문은행 웨이중은행이 정식 설립되었다. 웨이중은행은 텐센트의 메신저 위챗과 QQ를 통해 쌓인 빅데이터를 활용해 웨이리대출, 대중재테크 등의 금융 상품을 출시했다.

중국의 인터넷전문은행은 민간 자본에 의해 운영되는 민영 은행에 속해 현존하는 모든 인터넷전문은행이 인터넷, IT 기업을 대주주 또는 2대 주주로 삼아 온라인 플랫폼을 활용하는 방식으로 운영되고 있다. 2018년 8월을 기준으로 중국 내 총 17개의 민영 은행이 있으며 이 중 인터넷전문은행은 총 8개다. 주요 업무로 중소기업을 대상으로 한 소액 대출과 소비자 금융서비스를 제공하고 있다.

인터넷전문은행의 선두주자는 웨이중은행과 왕상은행이다. 고객과 기존 은행 사이의 '중개인' 역할을 자처하는 웨이중은행은 중국 최초의 인터넷전문은행인 동시에 최고의 인터넷전문은행이다. 텐센트의 빅데이터와 클라우드 컴퓨팅 기술을 은행 업무에 적용해 거래의 위험성을 떨어뜨림과 동시에 원가 절감으로 기존 은행과의 파트너십을 이끌어내고 있다. 웨이중 은행의 2017년 총자산은 817억400만 위안이다. 이는 전년도보다 297억900만 위안 증가했고, 영업이익은 전년도보다 175.54% 증가한 67억4800만 위안이다. 순이익은 전년도보다 261.1% 증가한 14억4800만 위안을 기록했다. 중소기업과 농촌 지역 거주자 소비자군을 대상으로 서비스하는 왕상은행은 웨이중은행에 이어 2위를 차지했다. 2017년 왕상은행의 총 자산은 781억7400만 위안, 영업이익은 전년도보다 62.12% 증가한 42억7500만 위안, 순이익은 27.85% 증가한 4억400만 위안을 기록했다. 왕상은행은 현재 350만 개 이상의 중소기업 고객을 보유 중이며 궁극적 목표는 중국 내 중소기업 고객 최다 보유 은행이 되는 것이다.

2014년 3월에 중국 은행감독관리위원회는 5개의 민영은행 설립을 허가했는데 그 중에 텐센트가 중심이 된 WeBank와 알리바바가 중심이 된 MyBank가 인터넷전문은행 형태로 설립된 경우다. 알리바바의 경우 이번 국내의 K뱅크 컨소시엄의 멤버 중 하나로 참여하고 있기 때문에 MyBank에서의 알리바바의 경험과 기술이 어느 정도는 녹아들어가지 않겠느냐 하는 것이 많은 사람들이 예상하는 내용이다.

은행명	설립지	자본금	발기인(지분율)	영업방향
치엔하이웨이중 (WeBank)	광동, 선전	30억 위안	• Tencent(30%) • 선전바이예위엔(20%) • 선전리예그룹(20%)	• 당초 거액예금 • 소액대출에서 인가시 소액 예대출로 변경
민상	절강, 원저우	20억 위안	• 저장정타이그룹(29%) • 화평안준(20%)	• 특정지역대상 영업
진청	티엔진	50억 위안	• 티엔진화베이그룹(20%) • 티젠진마이고우그룹(18%)	• 법인영업전문
저장왕상 (MyBank)	절강, 항저우	40억 위안	• Alibaba(30%) • 상하이푸싱그룹(25%) • 방상그룹(20%)	• 소액예대출 • 온라인점포위주영업
상하이화루이	상하이	35억 위안	• 상하이 쥔야오그룹(30%) • 상하이 메이방그룹(15%) • 동방그룹(8%)	• 특정지역대상영업(상하이 FTZ 입주)

[표 49] 중국 인터넷 전문은행 현황

WeBank의 경우 기존 은행과는 중첩되지 않는 여신시장을 대상으로 하고 있어 개인신용대출 및 소사업대출 업무를 중심으로 진행하고 있으며 텐센트와 연계되어 있는 O2O 서비스 플랫폼을 활용하는 고객의 빅데이터 분석을 통해 신용평가와 여신업무가 진행되는 방식을 쓴다. MyBank 역시 기존 알리바바 사용자, 전자상거래 기업체, 혹은 알리페이 사용자를 대상으로 대출업무를 진행하고 있다. 즉, WeBank와 MyBank 모두 기존 SNS 플랫폼 지위를 바탕으로 한 신규 사업 진출이라는 공통분모를 갖고 인터넷전문은행을 운영하고 있는 셈이다. 중국 전체 기업 중 20%만이 상업은행에서 자금공급을 받고 있으며 리테일 소상공인의 경우 사금융 의존도가 높은데 중국의 인터넷전문은행은 이런 틈새시장을 노리는 것이 특징이다.

중국 내 스마트폰과 인터넷의 보급이 더욱 증가할 것으로 전망됨에 따라 온라인 금융거래는 고속 성장의 시대로 돌입할 것이다. 금융조사기관 롱360 관계자에 따르면, 온라인 금융상품 서비스에 특화된 인터넷전문은행은 중국 내 청년층의 '선 소비, 후 지불' 현상과 함께 온라인 구매행위가 익숙한 신세대 소비자를 대상으로 기존 은행과 차별화된 간편한 가입 절차, 완화된 대출 조건, 접근의 용이성 등을 바탕으로 입지를 점차 넓혀갈 것이라고 전망되어진다.

<참고문헌>

[1] 경기창조경제혁신센터, 창조경제연구회 '제 1차 핀테크포럼, 한국핀테크포럼, 2015.
[2] 국내외 핀테크 관련 기술 및 정책동향 분석을 통한 연구분야 발굴, KISA, 2016.02.
[3] 국내외 핀테크 산업의 주요 이슈 및 시사점, 우리금융경영연구소, 2015.
국내은행업무보고서, 2015.06.
[4] 금융에서 본 핀테크, IT에서 본 핀테크, 유진투자증권, 2015.01.27.
[5] 글로벌 뱅킹 연차보고서, 맥킨지, 2015
[6] 기말 대출잔액 기준, 2015년은 2015년 6월 30일 기준, Lending Club, 2015.
[7] 인터넷전문은행 도입이 갖는 의미와 해외 동향, 학주니닷컴, 2016.02.02.
[8] 인터넷전문은행 도입, 은행업계는 어떻게 달라질 것인가, 채명석, 2016.01.11.
[9] 중금리대출 시장 경쟁구도 변화와 은행의 과제, 우리금융경영연구소, 2015.11
[10] Adyen Mobile Payment Index July 2015, Adyen, 2015.07.
[11] ICT업계의 금융업 진출에 따른 시장영향 분석, KDB산업은행 산업이슈, 2014.07.
[12] Industrial Internet Issue Report, 한국인터넷진흥원, 2016.03.
[13] IT·금융 융합 및 신성장동력 창출을 위한 인터넷전문은행 도입방안, 금융위원회, 2015.06.18.
[14] The Boom in Global Fintech Investment, 액센츄어
[15] 핀테크 국내외 산업 동향과 전망, S&T GPS, 2015.06.12.
[16] 핀테크의 발전 배경과 주요 동향, 정보통신정책연구원, 2016.02.
[17] 핀테크, 변화의 서막인가? 찻잔 속의 태풍인가?, 교보증권, 2015.02.04.
[18] 핀테크의 부상과 금융업의 변화, 현대경제연구원, 2016.04.04.
[19] 핀테크 산업 활성화를 위한 단계별 추진전략과 향후 과제, 금융위원회, 2015.05.20.
[20] 국내외 핀테크 동향과 전망, KB지식비타민, 2014.08.04.
[21] 핀테크 시장 최근 동향과 시사점, 정해식, 정보통신기술진흥센터, 2018.04.11.

초판 1쇄 인쇄 2017년 2월 26일
초판 1쇄 발행 2017년 3월 13일
개정판 발행 2017년 11월 06일
개정2판 발행 2019년 3월 25일
개정3판 발행 2020년 1월 6일
개정4판 발행 2021년 1월 25일

편저 ㈜비피기술거래
펴낸곳 비티타임즈
발행자번호 959406
주소 전북 전주시 서신동 780-2
대표전화 063 277 3557
팩스 063 277 3558
이메일 bpj3558@naver.com
ISBN 979-11-6345-235-5 (13560)

이 도서의 국립중앙도서관 출판예정도서목록(CIP)은 서지정보유통지원시스템 홈페이지(http://seoji.nl.go.kr)와국가자료공동목록시스템(http://www.nl.go.kr/kolisnet)에서 이용하실 수 있습니다.